L'espagnol
POUR
LES NULS

Susana Wald
Anne-Carole Grillot

FIRST
Editions

L'espagnol pour les Nuls
Titre de l'édition américaine : Spanish Phrases for Dummies

Publié par
Wiley Publishing, Inc.
111 River Street
Hoboken, NJ 07030 – 5774
USA

ISBN 2-75400-178-6
Dépôt légal : 2ᵉ trimestre 2006
Nous nous efforçons de publier des ouvrages qui correspondent à vos
attentes et votre satisfaction est pour nous une priorité. Alors, n'hésitez
pas à nous faire part de vos commentaires :

Éditions Générales First
27, rue Cassette
75006 Paris – France
e-mail : firstinfo@efirst.com
Site internet : www.efirst.com

Traduction : Anne-Carole Grillot
Production : Emmanuelle Clément
Mise en page : KN Conception
Imprimé en France par Mame Imprimeurs à Tours

En avant-première, nos prochaines parutions, des résumés de tous les
ouvrages du catalogue. Dialoguez en toute liberté avec nos auteurs et
nos éditeurs. Tout cela et bien plus sur Internet à : www.efirst.com

Sommaire

. . . .

Introduction

● ●

Dans une société qui s'internationalise de plus en plus, il devient indispensable de connaître les bases d'autres langues que la nôtre. Les voyages à l'étranger sont moins onéreux et donc plus accessibles. Avec la mondialisation des échanges, les déplacements à l'étranger se multiplient. Et puis, peut-être avez-vous simplement un ami ou un voisin qui parle une langue étrangère.

Quelle que soit la raison pour laquelle vous voulez apprendre les bases de l'espagnol, *L'espagnol pour les Nuls* est là pour vous aider. Nous ne vous promettons pas que vous parlerez cette langue couramment mais, si vous souhaitez saluer quelqu'un, acheter un ticket ou commander un menu en espagnol, vous trouverez tout ce que vous avez besoin de savoir dans *L'espagnol pour les Nuls*.

À propos de ce livre

Ce livre va vous permettre de comprendre, dans une langue différente de la vôtre, toutes les situations clés auxquelles vous serez confronté. Vous pourrez vous y référer dans les moments où vous aurez vraiment besoin de savoir ce qui se passe et ce que vous devez faire.

L'espagnol pour les Nuls n'est pas un cours auquel vous êtes obligé d'assister deux fois par semaine pendant toute une année scolaire. C'est un guide que vous pouvez consulter comme bon vous semble, selon que vous souhaitez apprendre des termes et des expressions pour mieux profiter de votre voyage en Espagne ou en Amérique latine, ou simplement pouvoir dire « Bonjour, comment ça va ? » à votre voisin espagnol. Parcourez ce livre à votre rythme et ne vous sentez

pas obligé de respecter l'ordre des chapitres.
Contentez-vous de lire ce qui vous intéresse.

Note : Si vous n'avez jamais suivi de cours d'espagnol,
il est préférable que vous lisiez les premiers chapitres
avant de vous attaquer aux suivants. La première partie énonce les bases de la langue, notamment en
matière de prononciation.

Conventions adoptées dans ce livre

Pour faciliter la consultation de ce livre, nous avons
adopté un certain nombre de conventions :

Les termes espagnols sont indiqués en **gras** pour être
plus visibles.

La prononciation, qui suit les termes espagnols, est
indiquée en *italique*.

Les conjugaisons (différentes façons de conjuguer un
verbe) sont indiquées sous forme de tableau dans
l'ordre suivant : « je », « tu », « il/elle/on/vous (vouvoiement singulier) », « nous », « vous » et « ils/elles/vous
(vouvoiement pluriel) ». La prononciation est précisée
dans la deuxième colonne. Voici un exemple :

Conjugaison	Prononciation
yo llevo	yo y<u>é</u>-bo
tú llevas	tou y<u>é</u>-bas
él, ella, ello, uno, usted lleva	él, <u>é</u>-ya, <u>é</u>-yo, <u>ou</u>-no, ous-<u>téd</u> y<u>é</u>-ba
nosotros llevamos	no-<u>so</u>-tros yé-<u>ba</u>-mos
vosotros lleváis	vo-<u>so</u>-tros yé-<u>ba</u>ïs
ellos, ellas, ustedes llevan	<u>é</u>-yos, <u>é</u>-yas, ous-<u>té</u>-dés y<u>é</u>-ban

L'apprentissage d'une langue est un exercice particulier. C'est pourquoi cet ouvrage comporte quelques

éléments que vous ne trouverez pas dans les autres
livres de la collection *Pour les Nuls*.

> ✔ **Tableaux de mots clés** : pour apprendre une
> langue, il est également important de mémoriser
> des mots clés et des expressions idiomatiques.
> Tous les termes importants d'un chapitre (ou
> d'une section à l'intérieur d'un chapitre) sont
> donc reportés sur un « tableau noir » sous le titre
> « Mots clés ».

Notez enfin que, chaque langue ayant sa propre façon
d'exprimer les idées, les traductions en français ne
sont pas littérales. Notre objectif est de vous faire
comprendre le sens d'une phrase et non la signification de chaque mot qui la compose. Par exemple, littéralement, **¿ Cómo está ?** (*ko-mo és-ta*) signifie
« Comment êtes-vous ? », mais le véritable sens de
cette expression est « Comment allez-vous ? ». Nous
vous proposons donc une traduction fidèle au sens
(« Comment allez-vous ?»).

Icônes utilisées dans ce livre

Pour simplifier l'accès à un certain type d'information,
nous avons jalonné le texte d'icônes dans la marge de
gauche. Chaque icône renvoie donc à un point précis :

 Conseil destiné à faciliter l'apprentissage de
l'espagnol.

 Précision sur une règle grammaticale. Les
langues comportent beaucoup de pièges dans
lesquels vous risquez de tomber si vous n'êtes
pas prévenu.

 Information et conseil au sujet de la culture des
pays hispanophones. Ce type de renseignement
est à la fois intéressant et utile pour les voya-
geurs.

Par où commencer

Pour apprendre une langue étrangère, il faut se jeter à l'eau (sans avoir de complexe de prononciation). Alors, lancez-vous ! Commencez par le début ou ouvrez ce livre au chapitre qui vous intéresse le plus. Faites comme bon vous semble. Le but, c'est d'apprendre en s'amusant !

Chapitre 1

Vous connaissez déjà un peu d'espagnol !

L'espagnol, comme le français, l'italien, le portugais ou le roumain, est une langue qu'on appelle romane parce qu'elle est issue du latin de la Rome antique. En raison de leur origine commune, les langues romanes ont de nombreuses similitudes du point de vue de la grammaire et du vocabulaire. Par exemple, le terme « grave » existe à la fois en français, en espagnol, en italien et en portugais et renvoie à la même notion.

Les différences entre les langues romanes ne posent pas beaucoup de problèmes de compréhension. Les hispanophones d'Amérique latine peuvent parfaitement comprendre les lusophones du Brésil. Ils ont simplement l'impression que leurs voisins parlent bizarrement. Cela dit, chaque langue romane a sa spécificité. L'espagnol provient d'une région d'Espagne, la Castille. C'est pourquoi, en Espagne et dans certains pays d'Amérique latine, comme l'Argentine, on désigne cette langue sous le nom de **castellano** (*kas-té-ya-no*), ce qui signifie « castillan ».

Tout au long de ce livre, nous allons également observer les différences qui existent entre l'Espagne et l'Amérique latine en ce qui concerne le vocabulaire et la prononciation. L'Amérique latine s'étend sur tout l'hémisphère occidental, à l'exception du Canada, des États-Unis, des Guyanes et de quelques îles des Antilles, comme la Jamaïque, Haïti et Curaçao, où l'on parle anglais, français ou hollandais.

Ce chapitre a pour but de vous préparer aux chapitres suivants, dans lesquels vous découvrirez tout ce que vous devez savoir en matière de prononciation, gestuelle et langage corporel. Vous apprendrez aussi quelques expressions pour montrer aux hispanophones que vous faites partie de leur bande !

L'espagnol ne vous est pas totalement étranger

Le français est une langue qui évolue sans cesse parce qu'elle sait absorber ce qu'elle pioche dans d'autres cultures et d'autres langues en fonction de ses besoins. Elle a différentes racines, notamment le latin qui, il y a deux mille ans, était parlé dans toute l'Europe par les Romains. Au Moyen Âge, seuls les érudits parlaient encore le latin.

Différentes langues issues du latin se sont développées, mais leurs racines communes ont permis de conserver certaines équivalences. Ainsi, les mots d'origine latine sont souvent faciles à comprendre pour une personne de langue maternelle romane – du moins lorsqu'ils ont conservé le même sens, ce qui n'est pas toujours le cas. En effet, certains mots dont l'orthographe et l'étymologie sont semblables n'ont pas du tout le même sens en espagnol qu'en français.

Parmi les mots parfaitement équivalents dans les deux langues figurent notamment **bien** (*Bién*) et **mal** (*mal*). Des milliers d'autres mots ne se différencient que par une ou deux lettres, comme **conclusión** (*kon-clou-sion*) (conclusion), **composición** (*kom-po-si-cion*) (composition), **libertad** (*li-Ber-tad*) (liberté), **economía** (*é-ko-no-mia*) (économie), **invencíon** (*in-bén-cion*) (invention) et **presidente** (*pré-si-dén-té*) (président).

Méfiez-vous des faux amis

Malheureusement, dans les langues romanes, il existe des mots que les linguistes français ont qualifiés de *faux amis*. Ces faux amis sont des mots qui ont les mêmes racines et se ressemblent beaucoup, mais dont la signification est complètement différente. Par exemple, le terme espagnol **débil** (*dé-Bil*) n'est généralement pas utilisé dans le même sens que l'adjectif français « débile », bien que l'origine des deux mots soit la même. Dans le langage courant, **débil** signifie « faible ».

Ainsi, par exemple, quand un Espagnol vous dit qu'il se sent **débil**, il ne fait pas un complexe d'infériorité. Il n'a pas l'impression de passer pour un idiot. Il se sent simplement faible, parce qu'il est malade ou fatigué.

Autre exemple : l'adjectif « embarrassé », qui signifie en français gêné ou confus. En espagnol, **embarazada** (*ém-Ba-ra-ça-da*) a la même racine que le terme français mais n'est plus utilisé que dans le sens de « enceinte ». Aussi, si une Française peut dire qu'elle est un peu embarrassée, une Espagnole ne peut pas être légèrement embarazada. Elle est enceinte ou elle ne l'est pas.

L'influence des langues entre elles

Certains mots d'origine française ont été absorbés par l'espagnol et vice-versa. La proximité de la France a une influence certaine sur l'évolution du castillan. Par exemple, le mot français « pot-pourri » est devenu **popurrí** (*po-pou-Ri*) en espagnol. À l'inverse, certains mots espagnols ont fait l'objet d'emprunts et sont employés en France sous leur forme d'origine.

Voici quelques exemples de mots espagnols que vous connaissez déjà parce que nous les utilisons couramment en français :

- Vous aimez sans doute la **paella** (*pa-é-ya*).
- Vous avez peut-être assisté à une **corrida** (*ko-Ri-da*).
- Vous êtes un **aficionado** (*a-fi-cio-na-do*) de courses de chevaux.
- Vous avez bu trop de **sangría** (*san-gria*).
- Vous savez danser le **tango** (*tan-go*), le **bolero** (*Bo-lé-ro*) ou la **rumba** (*roum-Ba*).
- Vous avez déjà mangé une **tortilla** (*tor-ti-ya*), un **taco** (*ta-ko*) ou un **burrito** (*Bou-Ri-to*).
- Vous avez peut-être une amie qui s'appelle **Clara** (*Kla-ra*).

Réciter l'alphabet

Pour bien se faire comprendre, il est essentiel d'avoir une bonne prononciation. C'est l'objectif visé dans les sections suivantes.

Tous les mots espagnols indiqués dans ce livre sont suivis de leur prononciation entre parenthèses, chaque syllabe étant séparée des autres par un tiret. Par exemple, **casa** (*ka-sa*) (maison). La syllabe soulignée est celle qui porte l'accent tonique. Les règles concernant l'accent tonique sont décrites en détail plus loin dans ce chapitre. Ne vous laissez pas impressionner ! Nous verrons chaque spécificité de la langue espagnole petit à petit et tout finira par se mettre en place dans votre esprit. Promis !

Pour le moment, nous allons passer en revue toutes les lettres de l'alphabet espagnol, qui constituent la base de la prononciation de cette langue. Voici donc chaque lettre, suivie de sa prononciation :

A (*a*)	**B** (*bé*)	**C** (*çé*)	**D** (*dé*)
E (*é*)	**F** (*é-fé*)	**G** (*rhé*)	**H** (*a-tché*)
I (*i*)	**J** (*rho-ta*)	**K** (*ka*)	**L** (*é-lé*)
M (*é-mé*)	**N** (*é-né*)	**Ñ** (*é-gné*)	**O** (*o*)

P (*pé*) **Q** (*kou*) **R** (*é-ré*) **S** (*é-sé*)

T (*té*) **U** (*ou*) **V** (*ou-bé*) **W** (*ou-bé do-Blé*)

X (*é-kis*) **Y** (*i grié-ga*) **Z** (*cé-ta*)

L'alphabet espagnol comporte aussi des lettres doubles : **ch** (*tché*), **ll** (*é-yé*) et **rr** (*é-Ré*).

Les sections suivantes décrivent les lettres de l'alphabet qui ne s'utilisent pas de la même façon en espagnol qu'en français. En effet, certaines lettres se prononcent différemment, tandis que d'autres n'existent tout simplement pas dans l'alphabet français.

Consonnes

D'une manière générale, les consonnes se prononcent de la même façon qu'en français, à quelques exceptions près.

Au sein même du monde hispanophone, il existe des distinctions en matière de prononciation de certaines consonnes. Par exemple, en Espagne, la consonne **z** se prononce comme le **th** anglais de *thing*. En revanche, dans les dix-neuf pays d'Amérique latine, le **z** se prononce comme le **s**).

Pour la prononciation d'une consonne, l'espagnol fait toujours suivre cette consonne d'une voyelle. Ainsi, par exemple, la lettre **f** se prononce **efe** (*é-fé*). De même, la lettre **s** se prononce **ese** (*é-sé*).

Seules quelques consonnes se distinguent de leurs homologues françaises par leur utilisation ou leur prononciation.

La lettre H

En espagnol, le **h** est toujours muet. Facile !

Dans la prononciation indiquée entre parenthèses, il n'apparaît donc jamais.

Voici quelques exemples de mots comportant un **h** :

- **Harina** (*a-ri-na*) (farine)
- **Hueso** (*oué-so*) (os)
- **Huevo** (*oué-bo*) (œuf)

La lettre J

La consonne j a un usage typiquement espagnol. C'est un son hérité de l'arabe, voisin du ch allemand de Bach. Il se prononce approximativement comme le r français mais de façon plus dure et gutturale.

Dans le code de prononciation, le **j** est retranscrit par *rh*.

Entraînez-vous avec les mots suivants :

- **Jota** (*rho-ta*) (nom espagnol de la lettre j ; également le nom d'une danse folklorique espagnole)
- **Juego** (*rhoué-go*) (jeu)
- **Joven** (*rho-vén*) (jeune)
- **Tijera** (*ti-rhé-ra*) (ciseaux)
- **Pájaro** (*pa-rha-ro*) (oiseau)
- **Rojo** (*ro-rho*) (rouge)
- **Guadalajara** (*goua-da-la-rha-ra*) (ville du Mexique)

La lettre C

Lorsqu'elle précède les voyelles **a**, **o** et **u**, la lettre **c** se prononce comme en français. Dans le code de prononciation, le son qui lui correspond est retranscrit par la lettre *k*. Exemples :

- **Acabar** (*a-ka-bar*) (terminer)
- **Café** (*ka-fé*) (café)
- **Casa** (*ka-sa*) (maison)
- **Acaso** (*a-ka-so*) (peut-être)

Lorsqu'elle précède les voyelles **e** et **i**, la lettre **c** se prononce comme le **th** anglais de *thing*. Dans le code de prononciation, le son correspondant est retranscrit par ç. Exemples :

- **Acero** (*a-cé-ro*) (acier)
- **Cero** (*cé-ro*) (zéro)
- **Cine** (*ci-né*) (cinéma)

En Amérique latine et dans le sud de l'Espagne, la lettre **c** se prononce comme la lettre **s** lorsqu'elle précède les voyelles **e** et **i**.

La lettre Z

La lettre z se prononce comme le **th** anglais de *thing*, son qui correspond à la lettre *ç* dans le code de prononciation. Exemples :

- **Zapato** (*ça-pa-to*) (chaussure)
- **Pozo** (*po-ço*) (puits)
- **Taza** (*ta-ça*) (tasse)

 En Amérique latine et dans le sud de l'Espagne, la lettre **z** se prononce comme la lettre **s**.

Les lettres V et B

La lettre **v** se prononce pratiquement de la même manière que la lettre **b**. Pour distinguer ces deux consonnes, on parle traditionnellement du **b** de **burro** (âne) et du **v** de **vaca** (vache).

La consonne **v** correspond à un son situé entre le **v** et le **b** français. Dans le code de prononciation, ce son est retranscrit par un *b*. Exemples :

- **Vaca** (*ba-ka*) (vache)
- **Vida** (*bi-da*) (vie)
- **Violín** (*bio-lin*) (violon)

La consonne **b** donne un son plus appuyé. Dans le code de prononciation, ce son est retranscrit par un *B*. Exemples :

- **Burro** (*Bou-Ro*) (âne)
- **Cabeza** (*ka-Bé-ça*) (tête)
- **Alba** (*al-Ba*) (aube)

La lettre G

Comme la lettre **c**, la lettre **g** a une double personnalité. Lorsqu'elle précède une consonne ou les voyelles **a**, **o** et **u**, elle se prononce comme le **g** français dans les mêmes conditions. Exemples :

- ✔ **Gato** (*ga-to*) (chat)
- ✔ **Gracias** (*gra-cias*) (merci)
- ✔ **Begonia** (*Bé-go-nia*) (bégonia)
- ✔ **Pagar** (*pa-gar*) (payer)

Lorsqu'elle précède les voyelles **e** et **i**, la lettre **g** se prononce comme le **j** espagnol. Le son auquel elle correspond est donc retranscrit par *rh* dans le code de prononciation. Exemples :

- ✔ **Gente** (*rhén-té*) (gens)
- ✔ **Agencia** (*a-rhén-cia*) (agence)

De la même façon qu'en français, si les voyelles **e** et **i** sont précédées d'un **u**, le **g** se prononce comme s'il était associé aux voyelles **a**, **o** ou **u**. Exemples :

- ✔ **Guía** (*guia*) (guide)
- ✔ **Guitarra** (*gui-ta-Ra*) (guitare)
- ✔ **Guerra** (*gué-Ra*) (guerre)

Consonnes doubles

L'espagnol comporte deux consonnes doubles : **ll** et **rr**. Chacune est considérée comme une seule lettre, qui produit un son propre. Par conséquent, lorsqu'on sépare les syllabes d'un mot, les deux **l** et les deux **r** restent ensemble. Par exemple, le mot **calle** (*ka-yé*) (rue) devient **ca-lle** et le mot **torre** (*to-Ré*) (tour) devient **to-rre**.

La lettre LL

La consonne **ll** est un **l** mouillé, comme dans le français lier.

Un phénomène culturel relativement récent a entraîné l'assimilation de ce son à celui du **y**. Ainsi, le mot **pollo** (poulet), autrefois prononcé *po-lio* est aujourd'hui prononcé *po-yo*.

Par conséquent, dans le code de prononciation, le son correspondant à la lettre **ll** est retranscrit par la lettre *y*.

Entraînez-vous à prononcer la lettre **ll** avec les exemples suivants :

- ✔ **Llama** (*ya-ma*) (flamme)
- ✔ **Lluvia** (*you-bia*) (pluie)
- ✔ **Llorar** (*yo-rar*) (pleurer)

La lettre RR

La lettre **rr** est un **r** fortement roulé. En fait, tous les **r** sont roulés en espagnol, mais le roulement est particulièrement accentué dans cette lettre. Pour rouler les **r**, repliez la langue contre le palais et soufflez.

Pour vous entraîner, faites comme si vous imitiez le son d'une mitraillette ou, plus romantique, celui d'une tourterelle énamourée. Voilà, c'est ça ! Curieusement, aucun mot ne commence par la lettre **rr**. Quel soulagement, n'est-ce pas ? Dans le code de prononciation, ce son est retranscrit par un *R*.

Voici quelques exemples pour vous entraîner :

- ✔ **Correo** (*ko-Ré-o*) (courrier)
- ✔ **Tierra** (*tié-Ra*) (terre)
- ✔ **Carretera** (*ka-Ré-té-ra*) (route)

La lettre Y

En espagnol, la lettre **y** est considérée comme une consonne et non une voyelle. Entre deux voyelles, elle a le même son que la lettre **ll**, retranscrit par un *y* dans le code de prononciation. Exemples :

- ✔ **Playa** (*pla-ya*) (plage)
- ✔ **Payaso** (*pa-ya-so*) (clown)
- ✔ **Mayo** (*ma-yo*) (mai)

Toutefois, la lettre **y** se prononce *i* dans la conjonction **y** (et) et en fin de mot. Dans ce dernier cas, elle est retranscrite par un *i*. Exemple : **hoy** (*oi*) (aujourd'hui).

La lettre Ñ

La lettre **ñ** se prononce comme le **gn** français de *consigne*. Le signe qui surmonte la lettre **n** se nomme **tilde** (*til-dé*). Dans le code de prononciation, le son correspondant au **ñ** est retranscrit par *gn*. Exemples :

- **Mañana** (*ma-gna-na*) (matin)
- **Niña** (*ni-gna*) (petite fille)
- **Cuñado** (*kou-gna-do*) (beau-frère)

Voyelles

Seules deux voyelles ne produisent pas le même son que les voyelles de l'alphabet français. Il s'agit du **e**, qui se prononce *é*, et du **u**, qui se prononce *ou*.

La voyelle E

En espagnol, la lettre e se prononce toujours é. Lorsqu'elle porte un accent, il s'agit d'un accent tonique qui n'altère en rien la façon dont elle se prononce et n'a aucun point commun avec les accents que l'on peut trouver sur cette lettre en français. Dans le code de prononciation, le son correspondant à cette voyelle est retranscrit par un é. Exemples :

- **Pelo** (*pé-lo*) (cheveux)
- **Seco** (*sé-ko*) (sec)
- **Padre** (*pa-dré*) (père)

La voyelle U

La lettre **u** se prononce *ou*, comme dans *chou*. En espagnol le son **u** n'existe pas. Dans le code de prononciation, le son correspondant à cette voyelle est donc retranscrit par *ou*. Exemples :

- **Cuna** (*kou-na*) (berceau)
- **Cuñado** (*kou-gna-do*) (beau-frère)
- **Curioso** (*kou-rio-so*) (curieux)
- **Lunes** (*lou-nés*) (lundi)
- **Fruta** (*frou-ta*) (fruit)
- **Luna** (*lou-na*) (lune)
- **Ayuda** (*a-you-da*) (aide)

Fruta, au singulier, peut faire référence aux fruits, en général.

Pas de voyelles nasales

Les voyelles nasales (an, en, in, on, un), spécifiques de la langue française, n'existent pas en espagnol. Par conséquent, la voyelle précédant le « n » et le « n » lui-même sont prononcés séparément. Exemples :

- ✔ **Pan** (*pan*) (pain) se prononce comme « cane » en français
- ✔ **Joven** (*<u>rho</u>-bén*) (jeune) se prononce comme « benne » en français
- ✔ **Violín** (*bio-<u>lin</u>*) (violon) se prononce comme « cuisine » en français
- ✔ **Nación** (*na-ci<u>on</u>*) se prononce comme « nonne » en français
- ✔ **Ningún** (*nin-<u>goun</u>*) se prononce comme « guitoune » en français

Diphtongues

Qu'est-ce que c'est que ça ? Pas de panique.

Le mot *diphtongue* vient du grec *diphthoggos*, dans lequel *di* signifie « deux » et *thoggos*, « son ». Ne vous faites pas d'illusions, nous aussi, nous avons dû regarder dans le dictionnaire ! *Diphtongue* signifie donc « double son ». Bon, on s'y retrouve.

Le terme espagnol est **diptongo** (*dip-ton-go*). Il s'agit de l'association de deux voyelles, dont chacune peut être faible ou forte. Par exemple, le **ue** de **fuego** (*foué-go*) (feu) est une diphtongue.

Combinaisons comportant une voyelle faible et une voyelle forte

Les diphtongues sont toujours constituées d'une *voyelle forte* et d'une *voyelle faible*. Les voyelles fortes sont **a**, **e** et **o**, et les voyelles faibles sont **i** et **u**. Dans une diphtongue, la voyelle est forte est la voyelle dominante.

Pour mieux comprendre le concept de voyelle forte et de voyelle faible, imaginez une flûte et un tuba. Les voyelles **i** et **u** s'apparentent au son de la flûte, tandis que les voyelles **a**, **e** et surtout **o** correspondent davantage à celui du tuba.

Toute combinaison comportant une voyelle forte et une voyelle faible est une diphtongue. Ces deux voyelles constituent donc une seule syllabe. Elles ne peuvent pas être séparées.

Dans une diphtongue, l'accent porte sur la voyelle forte (pour en savoir plus sur l'accent tonique, reportez-vous à la section suivante). En cas d'exception à cette règle, c'est-à-dire lorsque c'est la voyelle faible qui est accentuée, celle-ci porte un accent écrit (le rôle de l'accent écrit est également décrit dans la section suivante).

Par convention, l'association de deux voyelles faibles est considérée comme une diphtongue. Dans ce cas, l'accent porte sur la deuxième voyelle.

Voici quelques exemples :

- **Bueno** (*Boué-no*) (bon)
- **Cuando** (*Kouan-do*) (quand)
- **Confiar** (*kon-fiar*) (confier)
- **Fuera** (*foué-ra*) (dehors)
- **Suizo** (*soui-ço*) (suisse)
- **Viudo** (*biou-do*) (veuf)

Combinaisons comportant deux voyelles fortes

L'association de deux voyelles fortes ne constitue pas une diphtongue. Ces deux voyelles gardent leurs caractéristiques propres et ne font pas partie de la même syllabe. Exemples :

- **Coalición** (*co-a-li-cion*) (coalition)
- **Feo** (*fé-o*) (laid)
- **Marea** (*ma-ré-a*) (marée)
- **Mareo** (*ma-ré-o*) (mal de mer)

Comme vous pouvez le remarquer avec les mots **marea** et **mareo**, il suffit parfois de modifier une seule lettre pour changer la signification d'un mot. Ce phénomène existe aussi dans la langue française. Dans cet exemple, les deux mots ont la même racine : **mar** (*mar*) (mer). Il est donc facile d'associer la notion de mal de mer à celle de marée. Mais certains mots qui ne se distinguent les uns des autres que par une seule lettre ont une signification complètement différente. Exemples : **casa** (*ka-sa*) (maison) et **cosa** (*ko-sa*) (chose) ; **pito** (*pi-to*) (sifflet), **pato** (*pa-to*) (canard) et **peto** (*pé-to*) (plastron).

L'accent tonique

En espagnol, tous les mots portent un accent tonique sur une syllabe. Autrement dit, il y a toujours une syllabe plus accentuée que les autres. Dans un mot qui ne comporte qu'une syllabe, il n'est pas compliqué de trouver où porte l'accent. Mais la plupart des mots se composent de plusieurs syllabes et c'est là que ça se corse...

La règle

En espagnol, il est important de mettre l'accent au bon endroit. Heureusement, la règle est assez simple. *En l'absence d'accent écrit*, il existe deux possibilités :

✔ Les mots qui se terminent par une voyelle ou par un **n** ou un **s** sont accentués sur l'avant-dernière syllabe. Exemples :

- **Pollo** (*po-yo*) (poulet)
- **Camas** (*ka-mas*) (lits)
- **Mariposas** (*ma-ri-po-sas*) (papillons)

✔ Les mots qui se terminent par une consonne à l'exception de **n** et **s** sont accentués sur la dernière syllabe. Exemples :

- **Cantar** (*kan-tar*) (chanter)
- **Feliz** (*fé-lic*) (heureux)

Tous les mots qui échappent à cette règle portent un accent écrit qui indique la syllabe à accentuer.

L'accent écrit

L'avantage de l'accent écrit, c'est qu'il permet de savoir d'un simple coup d'œil où se trouve l'accent tonique d'un mot.

 L'accent écrit n'altère pas la prononciation de la voyelle qui le porte. Il n'entraîne que l'accentuation de la syllabe.

Voici quelques exemples de mots portant un accent écrit :

- ✔ **Balcón** (*Bal-kon*) (balcon)
- ✔ **Carácter** (*ka-rac-tér*) (caractère)
- ✔ **Fotógrafo** (*fo-to-gra-fo*) (photographe)
- ✔ **Pájaro** (*pa-rha-ro*) (oiseau)

L'accent écrit sur les diphtongues

Si l'accentuation d'un mot échappe à la règle et nécessite un accent écrit sur une syllabe composée d'une diphtongue, celui-ci est porté sur la voyelle forte de la diphtongue. De même, si à l'intérieur d'une diphtongue c'est la voyelle faible qui est tonique, celle-ci porte un accent écrit. Exemples :

- ✔ **Adiós** (*a-dios*) (au revoir)
- ✔ **Buenos días** (*Boué-nos dias*) (bonjour)
- ✔ **Bahía** (*Ba-ia*) (baie)
- ✔ **Tío** (*tio*) (oncle)

¡ Quelle ponctuation !

La ponctuation espagnole a une particularité intéressante : elle annonce, dès le début de la phrase, le ton de ce qui va être dit. En effet, les exclamations et les interrogations sont ponctuées à la fois au début et à la fin de la phrase. Les phrases exclamatives commencent par un point d'exclamation à l'envers et les phrases interrogatives par un point d'interrogation à l'envers.

 Cette ponctuation est spécifique de l'espagnol. Elle s'avère très utile pour lire à voix haute. En effet, lorsque vous commencez la phrase, vous savez par avance quel ton donner à votre voix.

Voici un exemple de phrase interrogative, suivi d'un exemple de phrase exclamative :

- ✔ **¿ Dónde está ?** (*don-dé és-ta*) (Où est-ce ?)
- ✔ **¡ Qué maravilla !** (*ké ma-ra-bi-ya*) (Quelle merveille !)

Quelques expressions courantes à connaître

Les expressions suivantes vous aideront à vous donner une contenance en attendant de trouver le mot que vous cherchez…

- ✔ **¡ Olé !** (*o-lé*) (Bravo ! Superbe !) Cette expression typiquement espagnole est utilisée lors des corridas.
- ✔ **¿ Qué tal ?** (*ké tal*) (Salut, quoi de neuf ?)
- ✔ **¿ De verdad ?** (*dé bér-dad*) (Vraiment ?) Cette expression traduit une certaine incrédulité.
- ✔ **¡ No me digas !** (*no mé di-gas*) (Sans blague !) Cette interjection marque également le doute.

Chapitre 2

Les bases de la grammaire espagnole

Pour être honnête, étudier la grammaire d'une langue, ce n'est pas ce qu'il y a de plus marrant. Mais ce que vous allez découvrir dans ce chapitre va vous être utile en toutes circonstances. Et puis, vous n'êtes pas obligé de tout lire d'une seule traite. N'hésitez pas à parcourir le reste du livre. Lorsque vous devrez vous référer à ce chapitre, nous vous le dirons.

Mais peut-être êtes-vous le genre de personne qui aime la grammaire et préfère avoir une approche rigoureuse d'une langue. Dans ce cas, vous allez être servi !

Construire une phrase simple

Quand vous rencontrez des gens, vous avez envie de leur parler. Et comment vous vous y prenez ? Vous faites des phrases, bien sûr – des phrases affirmatives ou interrogatives. Quand on vous pose une question, vous répondez. Et c'est ainsi que s'engage la conversation. En espagnol, comme en français, une phrase se compose d'un sujet, d'un verbe et éventuellement d'un complément. Par exemple :

La casa es grande. (*la ka-sa és gran-dé*) (La maison est grande.)

Dans cet exemple, le sujet de la phrase est **la casa** (*la ka-sa*) (la maison). Il est suivi du verbe, **es** (*és*) (est), et d'un adjectif, **grande** (*gran-dé*) (grande). En espagnol, comme en français, les éléments d'une phrase apparaissent dans cet ordre.

Voici d'autres exemples :

- ✔ **La mujer es guapa**. (*la mou-rhér és goua-pa*) (La femme est belle.)
- ✔ **El hombre es guapo**. (*él om-Bré és goua-po*) (L'homme est beau.)
- ✔ **Las calles son largas**. (*las ka-yés son lar-gas*) (Les rues sont grandes.)

Poser une question

Bonne nouvelle : la construction d'une phrase interrogative est simple. Il suffit d'inverser l'ordre du sujet et du verbe. Une phrase qui commence par **Ésta es…** (*és-ta és*) devient à la forme interrogative ¿ **Es ésta… ?** (*és és-ta*). Autrement dit, c'est comme en français : « C'est… » devient « Est-ce… ? »

Exemple :

Ésta es la puerta. (*és-ta és la pouér-ta*) (C'est la porte.)

¿ **Es ésta la puerta ?** (*és és-ta la pouér-ta*) (Est-ce la porte ?)

Supposez que vous vouliez répondre de façon négative à une question. Il vous suffit de faire précéder le verbe de **no** (contrairement au français, dans lequel la négation se décompose en « ne… pas »). Exemple :

¿ Es éste el coche ? (*és és-té él ko-tché*) (Est-ce la voiture ?)

No, éste no es el coche. (*no és-té no és él ko-tché*) (Non, ce n'est pas la voiture.)

Reprenons les phrases affirmatives données en exemple dans la section précédente. Nous pouvons les transformer en phrases interrogatives et ajouter une réponse négative.

- ✔ **¿ Es guapa la mujer ?** (*és goua-pa la mou-rhér*) (La femme est-elle belle ?)
- ✔ **La mujer no es guapa.** (*la mou-rhér no és goua-pa*) (La femme n'est pas belle.)
- ✔ **¿ Es guapo el hombre ?** (*és goua-po él om-Bré*) (L'homme est-il beau ?)
- ✔ **El hombre no es guapo.** (*él om-Bré no és goua-po*) (L'homme n'est pas beau.)
- ✔ **¿ Son largas las calles ?** (*son lar-gas las ka-yés*) (Les rues sont-elles grandes ?)
- ✔ **Las calles no son largas.** (*las ka-yés no son lar-gas*) (Les rues ne sont pas grandes.)

Verbes réguliers et verbes irréguliers

Tous les verbes espagnols se terminent en **-ar**, **-er** ou **-ir**. Il existe donc trois groupes de verbes, dont chacun comporte des verbes irréguliers. Les verbes réguliers se conjuguent tous de la même façon au passé, au présent et au futur, et à toutes les personnes. Par conséquent, dès lors que vous connaissez la conjugaison d'un verbe régulier, vous pouvez en déduire celle de tous les verbes réguliers du même groupe.

La conjugaison d'un verbe irrégulier, en revanche, est beaucoup plus capricieuse. Pour ne pas faire d'erreur, vous êtes obligé de la mémoriser. (Mais ne vous inquiétez pas, si la terminaison d'un de vos verbes est fausse, cela ne vous empêchera pas de vous faire comprendre.)

Verbes réguliers

Dans un verbe régulier, la première partie – le *radical* – est invariable. Par exemple, le verbe **trabajar** (*tra-Ba-rhar*) (travailler) est un verbe régulier qui se termine en **-ar**. Le radical **trabaj-** reste le même à toutes les formes et à tous les temps. Ce verbe – et tous les autres verbes réguliers qui se terminent en **-ar** – se conjuguent de la manière suivante :

Tableau 2-1 : Verbes réguliers

Conjugaison	Prononciation
Présent	
yo trabaj**o**	*yo tra-<u>Ba</u>-rho*
tú trabaj**as**	*tou tra-<u>Ba</u>-rhas*
él, ella, ello, uno, usted trabaj**a**	*él, <u>é</u>-ya, <u>é</u>-yo, <u>ou</u>-no, ous-<u>téd</u> tra-Ba-rha*
nosotros trabaj**amos**	*no-<u>so</u>-tros tra-Ba-<u>rha</u>-mos*
vosotros trabaj**áis**	*bo-<u>so</u>-tros tra-Ba-<u>rha</u>ïs*
ellos, ellas, ustedes trabaj**an**	*<u>é</u>-yos, <u>é</u>-yas, ous-<u>té</u>-dés tra-<u>Ba</u>-rhan*
Passé	
yo trabaj**é**	*yo tra-Ba-<u>rhé</u>*
tú trabaj**aste**	*tou tra-Ba-<u>rhas</u>-té*
él, ella, ello, uno, usted trabaj**ó**	*él, <u>é</u>-ya, <u>é</u>-yo, <u>ou</u>-no, ous-<u>téd</u> tra-Ba-<u>rho</u>*
nosotros trabaj**amos**	*no-<u>so</u>-tros tra-Ba-<u>rha</u>-mos*
vosotros trabaj**ásteis**	*bo-<u>so</u>-tros tra-Ba-<u>rhas</u>-téïs*
ellos, ellas, ustedes trabaj**aron**	*<u>é</u>-yos, <u>é</u>-yas, ous-<u>té</u>-dés tra-Ba-<u>rha</u>-ron*

Futur

yo trabaj**aré**	*yo tra-Ba-rha-<u>ré</u>*
tú trabaj**arás**	*tou tra-Ba-rha-<u>ras</u>*
él, ella, ello, uno, usted trabaj**ará**	*él, <u>é</u>-ya, <u>é</u>-yo, <u>ou</u>-no, ous-<u>téd</u> tra-Ba-rha-ra*
nosotros trabaj**aremos**	*no-<u>so</u>-tros tra-Ba-rha-<u>ré</u>-mos*
vosotros trabaj**aréis**	*bo-<u>so</u>-tros tra-Ba-rha-<u>réïs</u>*
ellos, ellas, ustedes trabaj**arán**	*<u>é</u>-yos, <u>é</u>-yas, ous-<u>té</u>-dés tra-Ba-rha-<u>ran</u>*

Verbes irréguliers

Dans les verbes irréguliers, le radical et parfois même les terminaisons changent de manière inattendue, ce qui complique les choses.

Prenons l'exemple du verbe tener (té-nér) (avoir). Le radical, ten-, devient teng-, tien-, tuv-, puis tendr-. Dans ce cas, en revanche, la plupart des terminaisons ne changent pas.

Tableau 2-2 : Verbes irréguliers

Conjugaison	*Prononciation*
Présent	
yo teng**o**	*yo <u>tén</u>-go*
tú tien**es**	*tou tié-nés*
él, ella, ello, uno, usted, tien**e**	*él, <u>é</u>-ya, <u>é</u>-yo, <u>ou</u>-no, ous-<u>téd</u> tié-né*
nosotros ten**emos**	*no-<u>so</u>-tros té-<u>né</u>-mos*
vosotros ten**éis**	*bo-<u>so</u>-tros té-<u>né</u>ïs*
ellos, ellas, ustedes tien**en**	*<u>é</u>-yos, <u>é</u>-yas, ous-<u>té</u>-dés tié-nén*

Tableau 2-2 : Verbes irréguliers *(suite)*

Conjugaison	Prononciation
Passé	
yo tuv**e**	*yo <u>tou</u>-bé*
tú tuv**iste**	*tou tou-<u>bis</u>-té*
él, ella, ello, uno, usted tuv**o**	*él, <u>é</u>-ya, <u>é</u>-yo, <u>ou</u>-no, ous-<u>téd</u> <u>tou</u>-bo*
nosotros tuv**imos**	*no-<u>so</u>-tros tou-<u>bi</u>-mos*
vosotros tuv**isteis**	*bo-<u>so</u>-tros tou-<u>bis</u>-téïs*
ellos, ellas, ustedes tuv**ieron**	*<u>é</u>-yos, <u>é</u>-yas, ous-<u>té</u>-dés tou-<u>bié</u>-ron*
Futur	
yo tendr**é**	*yo tén-<u>dré</u>*
tú tendr**ás**	*tou tén-<u>dras</u>*
él, ella, ello, uno, usted tendr**á**	*él, <u>é</u>-ya, <u>é</u>-yo, <u>ou</u>-no, ous-<u>téd</u> tén-<u>dra</u>*
nosotros tendr**emos**	*no-<u>so</u>-tros tén-<u>dré</u>-mos*
vosotros tendr**éis**	*bo-<u>so</u>-tros tén-<u>dréïs</u>*
ellos, ellas, ustedes tendr**án**	*<u>é</u>-yos, <u>é</u>-yas, ous-<u>té</u>-dés tén-<u>dran</u>*

Le verbe haber (a-Bér) signifie également « avoir », mais il est utilisé comme auxiliaire dans la conjugaison d'autres verbes. Il fonctionne comme le verbe avoir en français dans la conjugaison des verbes au passé composé : « Il a écrit. » ou « J'ai bougé. »

Él ou ella ? Pronoms personnels cachés

En règle générale, l'espagnol est une langue plutôt limpide, facile à apprendre et à parler. Seule difficulté, les pronoms personnels ne sont pas toujours apparents dans les phrases. Cela dit, il est facile de les deviner à partir des formes verbales et vous n'avez pas à les dire lorsque vous parlez.

En français, on place toujours le pronom personnel devant le verbe. Pas en espagnol. Chaque pronom est associé à une forme verbale spécifique, ce qui permet de l'omettre sans entraver la compréhension. Par exemple, les hispanophones disent **Voy al cine** pour « Je vais au cinéma ». Voici d'autres exemples :

- **Están de vacaciones**. (*és-tan dé ba-ka-cio-nés*) (Ils sont en vacances.)
- **No es el coche**. (*no és él ko-tché*) (Ce n'est pas la voiture.)
- **¿ Tienen vino ?** (*tié-nén bi-no*) (Ont-ils/Avez-vous (vouvoiement) du vin ?)

Bien que chaque nom ait un genre, dans une phrase, le genre du sujet n'est pas apparent lorsque le pronom personnel est omis. Par exemple, dans la phrase « **Trabaja en ventas** », on ne sait pas si la personne qui travaille dans la vente est un homme, une femme ou un chat. En français, on ajoute « il » ou « elle » pour montrer qui est le sujet de l'action. Néanmoins, comme chaque pronom est associé à une forme verbale particulière, on sait que **trabaja** renvoie à la troisième personne du singulier et que **voy**, dans la phrase « **Voy al cine** », renvoie à la première personne du singulier.

Genre : masculin ou féminin ?

Comme en français, tous les noms ont un genre. En règle générale, les noms qui se terminent par un o sont masculins et les noms qui se terminent par un **a** sont féminins, à l'exception de ceux qui se terminent par **ma**, **pa** ou **ta**, dont la plupart sont masculins.

Par exemple, **niño** (*ni-gno*) (garçon) se termine en **o**. Par conséquent, c'est un nom masculin. À l'inverse,

niña (_ni_-gna) (fille) se termine en **a**. C'est donc un nom féminin.

Articles

Toujours comme en français, les articles qui précèdent les noms s'accordent en genre et en nombre. Autrement dit, ils varient selon que le nom est masculin ou féminin et selon qu'il est utilisé au singulier ou au pluriel.

Notons qu'au pluriel l'accord en fonction du masculin ou du féminin subsiste, alors qu'en français les articles « les » ou « des » s'appliquent aux deux genres. Voici les différents articles espagnols :

Articles définis

- ✔ **El** (_él_) (le) : masculin singulier
- ✔ **La** (_la_) (la) : féminin singulier
- ✔ **Los** (_los_) (les) : masculin pluriel
- ✔ **Las** (_las_) (les) : féminin pluriel

Articles indéfinis

- ✔ **Un** (_oun_) (un) : masculin singulier
- ✔ **Una** (_ou_-na) (une) : féminin singulier
- ✔ **Unos** (_ou_-nos) (des) : masculin pluriel
- ✔ **Unas** (_ou_-nas) (des) : féminin pluriel

Pour bien utiliser les articles, souvenez-vous que la plupart des noms en **o** sont masculins et que la plupart des noms en **a** sont féminins. S'ils se terminent par un **s**, ils sont tout simplement au pluriel. Voici quelques exemples :

- ✔ **El niño** (_él_ _ni_-gno) (le garçon)
- ✔ **Los niños** (_los_ _ni_-gnos) (les garçons ou les enfants)
- ✔ **Un niño** (_oun_ _ni_-gno) (un garçon)
- ✔ **Unos niños** (_ou_-nos _ni_-gnos) (des garçons ou des enfants)

- ✔ **La niña** (*la ni-gna*) (la fille)
- ✔ **Las niñas** (*las ni-gnas*) (les filles)
- ✔ **Una niña** (*ou-na ni-gna*) (une fille)
- ✔ **Unas niñas** (*ou-nas ni-gnas*) (des filles)

Pourquoi **niños** signifie-t-il à la fois « garçons » et « enfants » ? C'est très simple : parce qu'au pluriel le masculin l'emporte. Le pluriel **niños** peut donc faire référence à un groupe de garçons ou à un groupe de garçons et de filles.

L'espagnol est une langue mélodieuse. L'usage de deux consonnes à la fin d'un mot est donc proscrit. Aussi, lorsqu'un nom se termine par une consonne, pour le mettre au pluriel, il faut ajouter un **e** avant le **s** final. Voici quelques exemples :

- ✔ **La mujer** (*la mou-rhér*) (la femme)
- ✔ **Las mujeres** (*las mou-rhé-rés*) (les femmes)
- ✔ **Una mujer** (*ou-na mou-rhér*) (une femme)
- ✔ **Unas mujeres** (*ou-nas mou-rhé-rés*) (des femmes)
- ✔ **El pan** (*él pan*) (le pain)
- ✔ **Los panes** (*los pa-nés*) (les pains)
- ✔ **Un pan** (*oun pan*) (un pain)
- ✔ **Unos panes** (*ou-nos pa-nés*) (des pains)
- ✔ **El canal** (*él ka-nal*) (le canal)
- ✔ **Los canales** (*los ka-na-lés*) (les canaux)
- ✔ **Un canal** (*oun ka-nal*) (un canal)
- ✔ **Unos canales** (*ou-nos ka-na-lés*) (des canaux)
- ✔ **El doctor** (*él doc-tor*) (le médecin)
- ✔ **Los doctores** (*los doc-to-rés*) (les médecins)
- ✔ **Un doctor** (*oun doc-tor*) (un médecin)
- ✔ **Unos doctores** (*ou-nos doc-to-rés*) (des médecins)

Pour tous les noms qui se terminent par une voyelle, rappelons qu'il suffit d'ajouter un **s** pour le mettre au pluriel.

Mots clés

el niño	él <u>ni</u>-gno	le garçon
la niña	la <u>ni</u>-gna	la fille
la mujer	la mou-<u>rhér</u>	la femme
el hombre	él <u>om</u>-Bré	l'homme
los vinos	los <u>bi</u>-nos	les vins
la calle	la <u>ka</u>-yé	la rue
las casas	las <u>ka</u>-sas	les maisons
los coches	los <u>ko</u>-tchés	les voitures

Adjectifs

Les adjectifs ajoutent du piment à la conversation. Ils permettent de décrire les choses. Bref, ils sont au cœur de tous les potins !

Comme les articles, les adjectifs s'accordent en genre et en nombre. Ils varient selon que le nom auquel ils se rapportent est singulier ou féminin et singulier ou pluriel.

Ainsi, en espagnol, « J'ai un chat blanc » se dit « **Tengo un gato blanco** » (*<u>tén</u>-go oun <u>ga</u>-to <u>Blan</u>-ko*). Le nom **gato** se termine en **o** et il est masculin. Par conséquent, l'adjectif qui suit doit être accordé au masculin : **blanco** (<u>Blan</u>-ko).

Pour pouvoir parler de plusieurs chats, maisons ou femmes, vous devez aussi connaître les chiffres.

Non, non, pas de maths ! Juste des chiffres !

Tú/usted : le vouvoiement de politesse

En français, on tutoie uniquement les personnes avec lesquelles on a des liens étroits. Les autres, on les vouvoie, c'est-à-dire qu'au lieu de leur dire tu, on s'adresse à elles en utilisant la deuxième personne du pluriel : vous.

En espagnol, cette distinction existe, mais elle se situe entre la deuxième personne du singulier, tú (tou), et la troisième personne du singulier, **usted** (*ous-téd*), qui correspond au « vous » de politesse français.

Le pronom personnel **usted** constitue une marque de respect. Les hispanophones l'utilisent pour s'adresser à quelqu'un qu'ils viennent de rencontrer, aux personnes âgées ou à leurs supérieurs hiérarchiques.

Les relations humaines sont complexes. Vous êtes le(la) seul(e) à pouvoir déterminer le degré d'intimité que vous avez avec votre interlocuteur. Par conséquent, c'est à vous de choisir entre **tú** et **usted**.

 À un certain stade de la relation, vous pouvez passer de **usted** à **tú**. Deux personnes du même âge, du même rang social ou qui deviennent tout simplement plus intimes adoptent rapidement un langage moins formel. En espagnol, « se tutoyer » se dit **tutearse** (*tou-té-ar-sé*).

En revanche, si vous ne cherchez pas particulièrement à devenir proche de votre interlocuteur ou si vous souhaitez garder une relation strictement professionnelle avec lui, continuez à utiliser usted.

Voici quelques exemples de phrases construites avec **tú** ou **usted** :

- ✔ **¿ Cómo se llama usted ?** (*ko-mo sé ya-ma ous-téd*) (Comment vous appelez-vous ?)

- ✔ **¿ Vas tú con Juan en el coche rojo ?** (*bas tou kon rhouan én él ko-tché ro-rho*) (Vas-tu avec Juan dans la voiture rouge ?)

✔ **Usted tiene una casa muy bella**. (*ous-<u>téd</u> tié-né <u>ou</u>-na <u>ka</u>-sa mouï <u>bé</u>-ya*) (Vous avez une très belle maison.)

En Espagne, pour s'adresser à plusieurs personnes de façon informelle, on utilise le pronom personnel **vosotros** (*bo-<u>so</u>-tros*) – deuxième personne du pluriel. Mais en Amérique latine, ce pronom est très rare.

N'oubliez pas que si **usted** et **ustedes** correspondent au vouvoiement de politesse français, ils se rapportent à la troisième personne du singulier et du pluriel et non à la deuxième personne du pluriel. En Amérique latine, pour savoir si le pronom **ustedes** est formel ou informel, il faut se fier au contexte. Voici quelques exemples :

✔ **¿ Adónde van ustedes dos ?** (*a-<u>don</u>-dé ban ous-<u>té</u>-dés dos*) (Où allez-vous tous les deux ?) (formel ou informel)

✔ **¿ Tú viajas en el coche ?** (*tou <u>bia</u>-rhas én él <u>ko</u>-tché*) (Tu prends la voiture ?) (informel)

✔ **¿ A usted le gusta el tango ?** (*a ous-<u>téd</u> lé <u>gous</u>-ta él <u>tan</u>-go*) (Aimez-vous le tango ?) (formel)

À l'écrit, les pronoms **usted** et **ustedes** sont parfois abrégés : **Ud.** pour **usted** et **Uds.** pour **ustedes**. Lorsqu'on les lit à voix haute, on les prononce en entier.

Félicitations ! Vous êtes en passe de devenir un véritable grammairien. Même si la grammaire n'est pas très glamour, elle reste le meilleur moyen de comprendre et de se faire comprendre dans les pays hispanophones.

Tout est affaire de chiffres

. . . .

Dans ce chapitre :

▶ Compter et chiffrer

▶ Dire l'heure, se situer dans le temps

▶ Parler monnaie

. . . .

*V*ous l'avez remarqué ? les chiffres font tourner le monde... alors l'argent, n'en parlons pas ! Dans ce chapitre, apprenez à jongler avec les chiffres, le temps, et l'argent.

Chiffres : chaque chose compte

Vous pourrez vous en sortir en demandant « une chose », « plusieurs choses » ou même « quelques autres » pendant un moment, mais il faudra bien finir par dire combien – deux, dix ou plus ! Les chiffres comptent. Voici donc comment on les dit en espagnol :

Chiffre	Nombre	Prononciation
1	uno	<u>oo</u>-noh
2	dos	dohs
3	tres	trehs
4	cuatro	<u>kooah</u>-troh
5	cinco	<u>seen</u>-koh
6	seis	sehees

Chiffre	Nombre	Prononciation
7	siete	see-<u>eh</u>-teh
8	ocho	<u>oh</u>-choh
9	nueve	noo-<u>eh</u>-bveh
10	diez	dee-<u>ehs</u>
11	once	<u>ohn</u>-seh
12	doce	<u>doh</u>-seh
13	trece	<u>treh</u>-seh
14	catorce	kah-<u>tohr</u>-seh
15	quince	<u>keen</u>-seh
16	dieciséis	deeeh-see-<u>seh</u>ees
17	diecisiete	deeeh-see-see<u>eh</u>-teh
18	dieciocho	deeeh-see<u>oh</u>-choh
19	diecinueve	deeeh-see-<u>nooeh</u>-bveh
20	veinte	<u>bveh</u>een-teh
21	veintiuno	bveheen-tee<u>oo</u>-noh
22	veintidós	bveheen-tee-<u>dohs</u>
30	treinta	<u>treh</u>een-tah
31	treinta y uno	<u>treh</u>een-tah ee <u>oo</u>-noh
32	treinta y dos	<u>treh</u>een-tah ee <u>dohs</u>
40	cuarenta	kooah-<u>rehn</u>-tah
41	cuarenta y uno	kooah-<u>rehn</u>-tah ee <u>oo</u>-noh
50	cincuenta	seen-koo<u>ehn</u>-tah
51	cincuenta y uno	seen-koo<u>ehn</u>-tah ee <u>oo</u>-noh
60	sesenta	seh-<u>sehn</u>-tah
61	sesenta y uno	seh-<u>sehn</u>-tah ee <u>oo</u>-noh
70	setenta	seh-<u>tehn</u>-tah

Chiffre	Nombre	Prononciation
71	setenta y uno	seh-_sehn_-tah ee _oo_-noh
80	ochenta	oh-_chehn_-tah
81	ochenta y uno	oh-_chehn_-tah ee _oo_-noh
90	noventa	noh-_bvehn_-tah
91	noventa y uno	noh-_bvehn_-tah ee _oo_-noh
100	cien	see-_ehn_
500	quinientos	kee-neee_ehn_-tohs
1000	mil	meel

À partir de deux, vous parlez au pluriel, vous devez accorder noms et adjectifs au pluriel, c'est-à-dire leur ajouter un **s**.

Ainsi, l'adjectif **blanco** (_Blan_-ko) devient **blancos** (_Blan_-kos). Par exemple, « **Tengo dos gatos blancos**. » (_tén_-go dos _ga_-tos _Blan_-kos).

Voici d'autres exemples :

✔ **Las dos mujeres son guapas**. (_las dos mou-rhé-rés son goua-pas_) (Les deux femmes sont belles.)

✔ **Cuatro hombres rubios están en un coche rojo**. (_koua-tro om-Brés rou-bios és-tan én oun ko-tché ro-rho_) (Quatre hommes blonds sont dans une voiture rouge.)

✔ **Las dos casas son grandes**. (_las dos ka-sas son gran-dés_) (Les deux maisons sont grandes.)

✔ **Las tres calles son oscuras**. (_las très ka-yés son os-kou-ras_) Les trois rues sont sombres.

Nombres ordinaux : le compte à rebours

Contrairement aux nombres cardinaux (un, deux, trois, etc.), qui indiquent une séquence, les nombres ordinaux (premier, deuxième, troisième, etc.) donnent une indication de rang par rapport à un ensemble.

Une adresse peut comporter des nombres ordinaux, notamment lorsque l'étage est précisé (« J'habite au quatrième étage. »). Vous devez donc les connaître. Voici les dix premiers :

- **primero** (*pri-mé-ro*) (premier)
- **segundo** (*sé-goun-do*) (second ; deuxième)
- **tercero** (*tér-cé-ro*) (troisième)
- **cuarto** (*kouar-to*) (quatrième)
- **quinto** (*kin-to*) (cinquième)
- **sexto** (*sex-to*) (sixième)
- **séptimo** (*sép-ti-mo*) (septième)
- **octavo** (*ok-ta-bo*) (huitième)
- **noveno** (*no-bé-no*) (neuvième)
- **décimo** (*dé-ci-mo*) (dixième)

Les phrases suivantes vous permettront de vous entraîner à utiliser les nombres ordinaux :

- **Vivo en el octavo piso.** (*bi-bo én él ok-ta-bo pi-so*) (J'habite au huitième étage.)
- **En la tercera calle hay un museo.** (*én la tér-cé-ra ka-yé aï oun mou-sé-o*) (Dans la troisième rue, il y a un musée.)
- **Este es el cuarto cine que veo aquí.** (*és-té és él kouar-to ci-né ké bé-o a-ki*) (C'est le quatrième cinéma que je vois ici.)
- **En el primer piso hay un florista.** (*én él pri-mér pi-so aï oun flo-ris-ta*) (Au premier étage, il y a un fleuriste.)
- **Voy a bajar al segundo piso.** (*boï a Ba-rhar al sé-goun-do pi-so*) (Je vais descendre au deuxième étage.)
- **La terraza está en el decimonoveno piso.** (*la té-Ra-ça és-ta én él dé-ci-mo-no-bé-no pi-so*) (La terrasse est au dix-neuvième étage.)

Indiquer un horaire à la minute près

Que vous parliez au passé, au présent ou au futur, vous parlez du temps. Mais pour parler du temps, il faut connaître les heures et les minutes. Alors, soyez prêt à temps !

- ✔ **Voy a las diez de la mañana.** (*boï a las diéç de la ma-gna-na*) (J'y vais à dix heures du matin.)

- ✔ **Llega a las nueve de la noche.** (*yé-ga a las noué-bé dé la no-tché*) (Il arrive à neuf heures du soir.)

- ✔ **Son las otcho y media.** (*son las o-tcho i mé-dia*) (Il est huit heures et demie.)

- ✔ **Son las nueve menos cuarto.** (*son las noué-bé mé-nos kouar-to*) (Il est neuf heures moins le quart.)

- ✔ **Vengo a la una y cuarto.** (*bén-go a la ou-na i kouar-to*) (Je viens à une heure et quart.)

- ✔ **A las dos menos cuarto llovió.** (*a las dos mé-nos kouar-to yo-bio*) (À deux heures moins le quart, il a plu.)

- ✔ **Son las once menos diez.** (*son las on-cé mé-nos diéç*) (Il est onze heures moins dix.)

Pour en savoir plus sur les chiffres, reportez-vous au chapitre 3. Ensuite, continuez à vous entraîner avec les phrases suivantes :

- ✔ **¿ Qué hora es ?** (*ké o-ra és*) (Quelle heure est-il ?)

- ✔ **Un minuto, por favor.** (*oun mi-nou-to por fa-bor*) (Une minute, s'il vous plaît.)

- ✔ **Un segundo, por favor.** (*oun sé-goun-do por fa-bor*) (Une seconde, s'il vous plaît.)

- ✔ **Un momento, por favor.** (*oun mo-mén-to por fa-bor*) (Un instant, s'il vous plaît.)

Mots clés

la hora	la <u>o</u>-ra	l'heure
el minuto	él mi-<u>nou</u>-to	la minute
el segundo	él sé-<u>goun</u>-do	la seconde
el cuarto	él kou<u>ar</u>-to	le quart
la media	la <u>mé</u>-dia	la demie
la mañana	la ma-<u>gna</u>-na	le matin
la noche	la <u>no</u>-tché	la nuit ; le soir

Des jours, des mois, des saisons

Quel jour sommes-nous ?

- **lunes** (<u>lou</u>-nés) (lundi)
- **martes** (<u>mar</u>-tés) (mardi)
- **miércoles** (mi<u>ér</u>-ko-lés) (mercredi)
- **jueves** (rhou<u>é</u>-bés) (jeudi)
- **viernes** (bi<u>ér</u>-nés) (vendredi)
- **sábado** (<u>sa</u>-Ba-do) (samedi)
- **domingo** (do-<u>min</u>-go) (dimanche)

Les phrases suivantes vous aideront à utiliser correctement les jours de la semaine.

- **La clase va a ser el martes.** (la <u>kla</u>-sé ba a sér él <u>mar</u>-tés) (Le cours aura lieu le mardi.)
- **Va a llegar el viernes.** (ba a yé-<u>gar</u> él biér-nés) (Il va arriver vendredi.)
- **Me voy el domingo.** (mé boï él do-<u>min</u>-go) (Je m'en vais dimanche.)

✔ **No puedo ir hasta el miércoles.** (*no poué-do ir as-ta él mié_r_-_ko_-lés*) (Je ne peux pas y aller avant mercredi.)

Parfois, le temps se définit de façon plus approximative, comme dans les phrases suivantes :

✔ **La semana entrante.** (*la sé-_ma_-na én-_tran_-té*) (La semaine qui vient [Littéralement : la semaine entrante].)

✔ **La semana que viene.** (*la sé-_ma_-na ké bié-né*) (La semaine qui vient/prochaine.)

✔ **La semana próxima.** (*la sé-_ma_-na _pro_-xi-ma*) (La semaine prochaine.)

✔ **Es mediodía.** (*és mé-dio-_dia_*) (Il est midi.)

✔ **Es medianoche.** (*és mé-dia-_no_-tché*) (Il est minuit.)

✔ **Es tarde.** (*és _tar_-dé*) (Il est tard.)

✔ **Es temprano** (*és tém-_pra_-no*) (Il est tôt.)

✔ **Llego tarde.** (*_yé_-go _tar_-dé*) (Je suis en retard.)

Voici quelques exemples de phrases comportant des jours de la semaine et des horaires approximatifs :

✔ **Es tarde ; ya son las ocho.** (*és _tar_-dé ya son las _o_-tcho*) (Il est tard ; il est déjà huit heures.)

✔ **El baile se acaba a medianoche.** (*él _Baï_-lé sé a-_ka_-Ba a mé-dia-_no_-tché*) (Le bal se termine à minuit.)

✔ **Llego tarde ; ya es mediodía.** (*_yé_-go _tar_-dé ya és mé-dio-_dia_*) (Je suis en retard ; il est déjà midi.)

✔ **Es el lunes, temprano en la mañana.** (*és él _lou_-nés tém-_pra_-no én la ma-_gna_-na*) (C'est lundi, tôt le matin.)

✔ **Va a venir en avión la semana que viene.** (*ba a bé-_nir_ én a-bi_ón_ la sé-_ma_-na ké bi_é_-né*) (Il va venir en avion la semaine prochaine.)

✔ **La semana siguiente, es buena fecha.** (*la sé-_ma_-na si-gui_én_-té és Boué-na _fé_-tcha*) (La semaine suivante, c'est une bonne date.)

Mois après mois

Saison des pluies, saison sèche, climat chaud et sec ou Espagne verte, quelles que soient vos préférences, vous devez connaître le nom des mois de l'année pour bien organiser votre voyage.

- **enero** (*é-né-ro*) (janvier)
- **febrero** (*fé-Bré-ro*) (février)
- **marzo** (*mar-ço*) (mars)
- **abril** (*a-Bril*) (avril)
- **mayo** (*ma-yo*) (mai)
- **junio** (*rhou-nio*) (juin)
- **julio** (*rhou-lio*) (juillet)
- **agosto** (*a-gos-to*) (août)
- **septiembre** (*sép-tiém-Bré*) (septembre)
- **octubre** (*ok-tou-Bré*) (octobre)
- **noviembre** (*no-biém-Bré*) (novembre)
- **diciembre** (*di-ciém-Bré*) (décembre)

Inspirez-vous des exemples suivants pour déterminer les dates de votre voyage :

- **En enero voy a ir a Colombia** (*én é-né-ro boï a ir a ko-lom-Bia*) (En janvier, je vais aller en Colombie.)
- **Vuelvo de España en marzo.** (*bouél-bo dé és-pa-gna én mar-ço*) (Je reviens d'Espagne en mars.)
- **El viaje es de julio a diciembre.** (*él bia-rhé és dé rhou-lio a di-ciém-Bré*) (Le voyage va de juillet à décembre.)
- **La estación de lluvias es de mayo a noviembre.** (*la és-ta-cion de you-bias és de ma-yo a no-biém-Bré*) (La saison des pluies va de mai à novembre.)

Mots clés

otoño	oh-_toh_-nyoh	automne
verano	bvehr-_ah_-noh	été
primavera	pree-mah-_veh_-rah	printemps
invierno	een-bveee_ehr_-noh	hiver
la Seca	lah _seh_-kah	saison sèche
la de Las Lluvias	lah deh lahs _yoo_-bveeahs	saison pluvieuse

L'argent, toujours l'argent !

L'argent est une aubaine quand on en a et un problème quand on le perd. Mais pour le moment, vous n'avez rien perdu (nous verrons cela au chapitre 12). Nous allons donc nous concentrer sur les moyens dont vous disposez pour vous faire plaisir !

En espagnol, « salaire » se dit **salario** (_sa-la-rio_). Ce terme vient de sal (sal), qui signifie « sel ». Dans la Rome antique, certaines personnes étaient rémunérées en sel – denrée précieuse puisqu'on en a besoin pour vivre.

Vous devez toujours avoir un peu d'espèces sur vous. Voici quelques termes à connaître :

- **Dinero en efectivo** (_di-né-ro én é-fék-ti-bo_) (argent liquide)
- **Billetes** (_Bi-yé-tés_) (billets)
- **Monedas** (_mo-né-das_) (pièce de monnaie)
- **Una moneda de oro** (_ou-na mo-né-da dé o-ro_) (une pièce d'or)
- **Una moneda de plata** (_ou-na mo-né-da dé pla-ta_) (une pièce d'argent)

Entraînez-vous à parler d'argent avec les phrases suivantes :

- ¿ **Traes algún dinero ?** (*tra-és al-goun di-né-ro*) (Tu as de l'argent sur toi ?)

- ¿ **Tienes dinero en efectivo ?** (*tié-nés di-né-ro én é-fék-ti-bo*) (Tu as de l'argent liquide ?)

- ¿ **Tiene una moneda de cincuenta centavos ?** (*tié-né ou-na mo-né-da dé çin-kouén-ta çén-ta-bos*) (Vous avez une pièce de cinquante centimes ?)

- **No tenemos monedas.** (*no té-né-mos mo-né-das*) (Nous n'avons pas de pièces.)

- **Necesitan dos monedas de diez centavos.** (*né-cé-si-tan dos mo-né-das de diéç çén-ta-bos*) (Il leur faut deux pièces de dix centimes.)

- **Pagamos con dos billetes de veinte pesos.** (*pa-ga-mos kon dos Bi-yé-tés dé béin-té pé-sos*) (Nous avons payé avec deux billets de vingt pesos.)

- **Aquí tiene un billete de cien colones.** (*a-ki tié-né oun Bi-yé-té dé çién ko-lo-nés*) (Voici un billet de cent colones.)

Mots clés

algún	al-goun	quelque
el dinero	él di-né-ro	l'argent
el billete	él Bi-yé-té	le billet
la moneda	la mo-né-da	la pièce ; la monnaie

Utiliser les distributeurs de billets

Lorsqu'ils fonctionnent, les distributeurs automatiques de billets permettent de retirer de l'argent très facilement. Et neuf fois sur dix, ils fonctionnent !

Les villes et les stations estivales du monde entier sont désormais équipées de distributeurs de billets, qui constituent le moyen le plus simple et le plus discret d'accéder à votre compte.

Il vous suffit d'avoir une carte bancaire. Insérez-la dans le distributeur, tapez votre code et vous obtiendrez de l'argent liquide dans la monnaie du pays où vous vous trouvez.

Aux distributeurs, le taux de change est plus intéressant, car l'échange de monnaie s'effectue de banque à banque. Préférez donc les distributeurs aux bureaux de change.

Il peut arriver qu'un distributeur ne fonctionne pas, qu'il n'ait plus de billets ou que les systèmes informatiques des deux banques ne soient pas compatibles. (Vous n'êtes pas le(la) seul(e) à avoir des problèmes de communication !) Dans ce genre de situations, payez directement avec votre carte bancaire. Pensez aussi à utiliser les chèques de voyage.

Certains distributeurs affichent les instructions en français. Si ce n'est pas le cas, voici les phrases qui apparaissent à l'écran :

- **Introduzca su tarjeta por favor.** (*in-tro-douç-ka sou tar-rhé-ta por fa-bor*) (Veuillez introduire votre carte.)
- **Por favor teclee su número confidencial.** (*por fabor té-klé-é sou nou-mé-ro kon-fi-fén-cial*) (Veuillez taper votre code confidentiel.)

À ce stade, vous devez appuyer sur le bouton **continuar** (*kon-ti-nouar*) (valider). Ensuite, plusieurs options apparaissent :

- **Retiro en efectivo** (*ré-ti-ro én é-fék-ti-bo*) (retrait en espèces)
- Si vous choisissez cette option, d'autres vous sont proposées :
  - **Tarjeta de crédito** (*tar-rhé-ta dé kré-di-to*) (carte de crédit)

- **Cuenta corriente** (*kouén-ta ko-Rién-té*) (compte courant)
- **Débito/crédito** (*dé-Bi-to kré-di-to*) (débit/crédit)
- ✔ **Consulta de saldo** (*kon-soul-ta dé sal-do*) (consulter votre compte)

Si vous attendez trop longtemps avant d'appuyer sur un bouton, la phrase suivante peut apparaître à l'écran :

- ✔ ¿ **Requiere más tiempo ?** (*ré-kié-ré mas tiém-po*) (Vous faut-il plus de temps ?)
- ✔ **Sí/No** (*si no*) (Oui/Non)

Si vous répondez Sí, vous retournez à l'écran précédent. Choisissez alors l'option cuenta corriente (kouén-ta ko-Rién-té) (compte courant) et sélectionnez une somme parmi les montants indiqués :

- ✔ 100, 200, 300, 400, 500, 1000, 1500
- ✔ ¿ **Otra cantidad ?** (*o-tra kan-ti-dad*) (Autre montant ?)

Une fois le montant désiré sélectionné, les billets sortent de la machine. Apparaît ensuite un dernier message :

- ✔ **Entregado** (*én-tré-ga-do*) (Retrait effectué)
- ✔ **Saldo** (*sal-do*) (Solde)
- ✔ **Por favor tome su dinero.** (*por fa-bor to-mé sou di-né-ro*) (Veuillez prendre vos billets.)

Gardez tous les tickets. Si le distributeur ne vous propose pas de ticket ou si les messages ne s'affichent pas jusqu'à la fin de l'opération, écrivez le lieu, l'heure et la date de votre retrait. De retour chez vous, vérifiez toutes vos opérations sur votre relevé de compte. Vérifiez qu'aucun débit n'a été effectué lorsque vous n'avez pas pu retirer d'argent. Contactez votre banque si vous remarquez la moindre anomalie.

Mots clés

introducir	in-tro-dou-cir	introduire
retiro	ré-ti-ro	retrait
saldo	sal-do	solde
cuenta	kouén-ta	compte
débito	dé-Bi-to	débit
crédito	kré-di-to	crédit
cantidad	kan-ti-dad	quantité ; montant

Utiliser votre carte de crédit

La carte de crédit est un moyen sûr et pratique de gérer votre argent. Ce mode de paiement présente de nombreux avantages. Vous n'avez pas besoin d'avoir beaucoup d'argent liquide sur vous. Vos dépenses sont consignées sur votre relevé de compte. Et enfin, vous avez toujours un ticket. Malheureusement, les cartes de crédit ne sont pas toujours acceptées.

Cela dit, les établissements qui acceptent les cartes de crédit pratiquent des prix légèrement plus élevés. Certains restaurants qui n'acceptent pas les cartes sont tout à fait corrects, tant du point de vue de la cuisine que du service, et coûtent moins cher.

Retirer de l'argent au distributeur n'est pas beaucoup plus compliqué qu'en France. Mais si vous voulez obtenir du liquide auprès d'une banque à l'aide de votre carte de crédit, vous devez être capable de formuler votre demande en espagnol.

Le retrait d'espèces au guichet est un peu plus long, car la banque doit vérifier que la somme que vous demandez est disponible sur votre compte. En l'absence de connexion électronique directe avec votre

propre établissement bancaire, la banque doit donc
téléphoner pour obtenir une autorisation. Ce proces-
sus prend du temps. Soyez patient.

Mots clés

servir	sér-_bir_	servir
la tarjeta	la tar-_rhé_-ta	la carte
el recibo	él ré-ci-Bo	le reçu ; le ticket
firmar	fir-_mar_	signer
la autorización	la aou-to-ri- ça-ci_on_	l'autorisation
la ventanilla	la bén-ta-_ni_-ya	le guichet
la identificación	la i-dén-ti-fi- ka-ci_on_	l'identification

Utiliser des chèques de voyage

Les chèques de voyage sont aussi relativement pratiques. Toutefois, vous devez trouver un établissement
qui accepte de les changer en liquide. Les banques, de
nombreux bureaux de change et les meilleurs hôtels
les acceptent.

En revanche, les petits hôtels, les restaurants et la plupart des magasins ne les acceptent pas. Essayez de les
changer avant de partir en excursion, mais n'ayez pas
trop de liquide sur vous.

Le verbe cambiar : changer

Le verbe **cambiar** (*kam-Biar*) signifie à la fois « changer » et « échanger ». C'est un verbe régulier en **-ar**
(*ar*), dont le radical est **cambi-** (*kamBi*). Au présent, il
se conjugue de la manière suivante :

Mots clés

el cheque de viajero	él <u>tché</u>-ké dé bia-<u>rhé</u>-ro	le chèque de voyage
a cuánto	a kou<u>an</u>-to	à combien
cambiar	kam-Bi<u>ar</u>	changer
el mostrador	él mos-tra-<u>dor</u>	le comptoir (littéralement : l'endroit où l'on se montre)
los documentos	los do-kou-<u>mén</u>-tos	la pièce d'identité (littéralement : les documents)

Conjugaison	Prononciation
yo cambio	yo kam-Bio
tú cambias	tou kam-Bias
él, ella, ello, uno, usted cambia	él, é-ya, é-yo, ou-no, ous-téd kam-Bia
nosotros cambiamos	no-so-tros kam-Bia-mos
vosotros cambiáis	bo-so-tros kam-Biaïs
ellos, ellas, ustedes cambian	é-yos, é-yas, ous-té-dés kam-Bian

Voici quelques phrases qui vous aideront à bien utiliser le verbe **cambiar** :

- ✔ **En esa ventanilla cambian monedas** (*én <u>é</u>-sa bénta-<u>ni</u>-ya <u>kam</u>-Bian mo-<u>né</u>-das*) (À ce guichet, on change des pièces.)

- ✔ **Quiero cambiar bolívares por euros.** (*<u>kié</u>-ro kam-Bi<u>ar</u> Bo-<u>li</u>-ba-rés por <u>é</u>ou-ros*) (Je veux changer des bolivars contre des euros.)

- ✔ **La casa de cambio te puede cambiar tu euros.** (*la <u>ka</u>-sa dé <u>kam</u>-Bio té poué-dé kam-Bi<u>ar</u> tou <u>é</u>ou-ros*) (Le bureau de change peut te changer tes euros.)

✔ **En el banco cambian euros.** (*én él <u>Ban</u>-ko <u>kam</u>-Bian <u>é</u>ou-ros*) (La banque change les euros.)

✔ **Es muy elevada la comisíon con que cambian.** (*és mouï é-lé-<u>ba</u>-da la ko-mi-si<u>on</u> kon ké <u>kam</u>-Bian*) (La commission retenue au change est très élevée.)

On appelle la personne qui effectue les opérations de change **el cambista** (*él kam-<u>Bis</u>-ta*) (le cambiste).

Changer vos euros contre des devises locales

Chaque pays d'Amérique latine a sa propre monnaie. Vous devez donc changer vos euros contre des devises locales. Avant d'effectuer des opérations de change, vous devez savoir combien vous allez obtenir pour chaque euro cédé.

Les banques et les bureaux de change facturent leurs services. Dans certaines villes, les banques sont plus chères que les bureaux de change, car elles prélèvent en plus une commission. Dans d'autres villes, c'est l'inverse. Dans tous les cas, le prix de ce service est indiqué sous la forme d'un tableau qui se présente de la manière suivante :

Euro	Achat 9,70	Vente 9,80

Cela signifie que la banque achète un euro contre 9,70 (devise locale) et que si vous voulez acheter un euro, il vous sera vendu 9,80 (devise locale). Autrement dit, la banque gagne dix centimes (devise locale) à chaque transaction.

Les banques et les bureaux de change vous donneront un reçu à chaque opération de change. Gardez-les préciseusement pour vérifier vos comptes de retour chez vous. Si vous avez besoin de changer de l'argent, cherchez une enseigne indiquant **cambio** (*<u>kam</u>-Bio*) (change).

Voici quelques phrases qui vous seront utiles au moment de changer de l'argent :

- ✔ **¿ Dónde puedo cambiar euros ?** (*don-dé poué-do kam-Biar éou-ros*) (Où puis-je changer des euros ?)
- ✔ **Una cuadra a la derecha hay una agencia.** (*ou-na koua-dra a la dé-ré-tcha aï ou-na a-rhén-cia*) (À droite, après ce pâté de maisons, il y a un bureau de change.)
- ✔ **¿ Dónde encuentro una casa de cambio ?** (*don-dé én-kouén-tro ou-na ka-sa dé kam-Bio*) (Où puis-je trouver un bureau de change ?)

Mots clés

la cuadra	la koua-dra	le pâté de maisons [Amérique latine]
derecha	dé-ré-tcha	droite
la agencia	la a-rhén-cia	l'agence
encontrar	én-kon-trar	trouver

Se saluer et faire connaissance : petites conversations

- -

Dans ce chapitre :

▶ Se présenter

▶ Parler de façon formelle ou informelle

▶ Évoquer la pluie, le beau temps, la famille...

- -

Dans les pays hispanophones, on se salue dès qu'on se rencontre.

Se saluer de façon formelle ou informelle

En Espagne, on se salue souvent de façon informelle. En revanche, en Amérique latine, quand on se rencontre pour la première fois, on garde une certaine réserve. Essayez de respecter cet usage. C'est une question de politesse.

Il y a deux façons de se dire bonjour selon le moment de la journée. Le matin, dites **buenos días** (*Boué-nos días*) et l'après-midi **buenas tardes** (*Boué-nas tar-dés*). Si vous voulez rester informel, un simple **hola** (*o-la*) (salut) suffit.

Noms et prénoms

Les Espagnols et les Latino-Américains sont des gens affables, qui ont le contact facile. N'hésitez pas à les aborder en les saluant comme nous venons de le voir. Si vous sentez que vous pouvez aller plus loin, présentez-vous et attendez que votre interlocuteur vous dise son nom sans nécessairement le lui demander. Dans certains cas, une tierce personne se charge des présentations, mais rien ne vous empêche de vous présenter vous-même.

Quand on rencontre une personne, il n'est pas rare que celle-ci se présente uniquement par son prénom, voire une partie de son prénom – **Carmen** (*kar-mén*) au lieu de **María del Carmen** (*ma-ria dél kar-mén*). On sait généralement le nom de famille plus tard.

Les présentations sont complètes lorsque la personne indique son prénom en entier et ses deux noms de famille, qui viennent soit du père et de la mère, soit du père et du mari pour les femmes mariées.

Si le prénom suffit, c'est parce que les hispanophones n'hésitent pas à se parler, même si les présentations formelles n'ont pas encore été faites. Lorsqu'une tierce personne fait les présentations, c'est simplement pour faciliter le contact.

Que cache le nom de famille ?

Imaginons que vous rencontriez une femme qui s'appelle **María del Carmen Fernández Bustamante** (*ma-ria dél kar-mén fér-nan-déç bous-ta-man-té*). Vous pouvez en déduire qu'elle est célibataire et l'appeler **señorita** (*sé-gno-ri-ta*) (mademoiselle) **Fernández**. Pourquoi ? Parce que ses deux noms de famille ainsi indiqués côte à côte sont ceux de son père et de sa mère.

Maintenant imaginez que mademoiselle Fernández se marie avec **el señor** (*él sé-gnor*) (monsieur) **Juan José**

García Díaz (*rhouan rho-sé gar-cia diaç*). Dans ce cas, elle remplace le nom de sa mère par le premier nom de son mari, précédé de **de** (*dé*). Elle devient donc la **señora María del Carmen Fernández de García** (*ma-ria dél kar-mén fér-nan-déç dé gar-cia*).

 À l'écrit, les titres donnés aux hommes et aux femmes peuvent être indiqués en abrégé : **Sr. (señor), Sra. (señora)** et **Srta. (señorita).**

Dans certains pays hispanophones, chez une femme mariée, le nom du mari a davantage d'importance que le nom du père. C'est le cas au Mexique. Ainsi, pour reprendre l'exemple précédent, on dirait plus volontiers la señora García que la señora Fernández.

Néanmoins, d'une manière générale, les femmes gardent leur nom de famille. Les enfants, quant à eux, portent le nom de leur père et de leur mère. Supposons que **el señor García** ait un enfant, Mario, issu d'un précédant mariage avec une femme nommée **Ocampo**. Puisqu'il porte à la fois le nom de son père et de sa mère, cet enfant s'appelle **Mario García Ocampo**. Et si **el señor García** et **María del Carmen Fernández de García** ont ensuite une fille prénommée Ana, celle-ci s'appellera **Ana García Fernández**. L'usage du nom de la mère permet de savoir immédiatement que Mario et Ana ont le même père mais pas la même mère.

En outre, il n'est pas rare que les parents donnent leur prénom à leurs enfants. Par exemple, dans une famille où la mère s'appelle **Marta Inés**, les trois filles peuvent s'appeler **Marta Julieta, Marta Felicia** et **Marta Juana**. S'il n'y a qu'un fils, celui-ci peut porter le même prénom que son père. Mais on pourra distinguer l'un de l'autre en fonction du nom de famille de sa mère.

Le verbe llamarse

Il est temps d'apprendre la conjugaison du verbe **llamarse** (*ya-mar-sé*) (s'appeler), qui vous sera très utile au moment de vous présenter.

Le verbe **llamar** est un verbe régulier en **-ar**. Le suffixe se signifie qu'il s'agit en l'occurrence d'un verbe pronominal réfléchi. Pour vous rafraîchir la mémoire, nous vous rappelons qu'un verbe pronominal réfléchi fait référence à une action exprimée par le sujet à son propre propos. Dans ce cas, **yo me llamo** (*yo mé ya-mo*) signifie « Je m'appelle ». « Je » est le sujet de la phrase et « m' », c'est-à-dire « moi », renvoie au sujet.

Lorsque vous voyez le suffixe **se** à la fin d'un verbe, mettez le pronom réfléchi (**me**, dans notre exemple) devant le verbe pour conjuguer celui-ci.

Voici la conjugaison du verbe **llamarse** au présent. Les pronoms réfléchis sont toujours les mêmes, quel que soit le verbe.

Conjugaison	*Prononciation*
yo me llamo	yo mé <u>ya</u>-mo
tú te llamas	tou té <u>ya</u>-mas
él, ella, ello, uno, usted se llama	él, <u>é</u>-ya, <u>é</u>-yo, <u>ou</u>-no, ous-<u>téd</u> sé <u>ya</u>-ma
nosotros nos llamamos	no-<u>so</u>-tros nos ya-<u>ma</u>-mos
vosotros os llamais	bo-<u>so</u>-tros os ya-<u>maïs</u>
ellos, ellas, ustedes se llaman	<u>é</u>-yos, <u>é</u>-yas, ous-<u>té</u>-dés se <u>ya</u>-man

Présentations solennelles ou usuelles

Certaines situations requièrent un minimum de solennité, par exemple, lorsqu'on est présenté à une personne importante ou célèbre.

Cette formalité s'exprime à travers quelques expressions d'usage, dont voici un aperçu :

- ✔ **¿ Me permite presentarle a… ?** (*mé pér-mi-té pré-sén-tar-lé a*) (Puis-je vous présenter… ?)
- ✔ **Es un gusto conocerle.** (*és oun gous-to ko-no-cér-lé*) (Ravi de vous connaître.)
- ✔ **El gusto es mío.** (*él gous-to és mio*) (Tout le plaisir est pour moi.)

Se présenter de façon formelle

Les présentations formelles s'imposent lorsqu'on rencontre une personne pour la première fois dans un contexte peu familier ou professionnel. Dans un premier temps, on garde une certaine distance, avant de se rapprocher petit à petit.

Les personnes qui ne se connaissent pas s'adressent l'une à l'autre en utilisant le pronom personnel **usted** (*ous-téd*) (vouvoiement de politesse).

Note : lors des présentations, les adultes donnent souvent aux enfants un diminutif, comme nous le verrons au chapitre 4.

Le prénom d'un adulte peut être précédé de **don** (*don*) ou **doña** (*do-gna*), au féminin : **Don Pedro** ; **Doña María**. C'est une marque de respect utilisée par les enfants envers les adultes ou par les adultes envers les personnes âgées.

Abréviations avec majuscule

Rappelons l'ensemble des abréviations que nous avons vues. Toutes ces abréviations commencent par une majuscule et se terminent par un point.

señor	Sr.
señora	Sra.
señorita	Srta.
usted	Ud.
ustedes	Uds.

Libre d'être comme vous êtes

En espagnol, il existe deux façons de dire : « Être ou ne pas être ». On dit **Ser o no ser** (*sér o no sér*) lorsque cet état ne changera pas (vous serez toujours une personne, par exemple) et on dit **Estar o no estar** (*és-tar o no és-tar*) lorsque cet état peut changer (vous ne serez pas toujours fatigué).

Être en soi : ser

Le verbe **ser** fait référence à un état permanent. Par exemple, vous êtes vous. Mais beaucoup de choses dans le monde sont aussi considérées comme permanentes, comme les pays, les villes, les formes, les professions, les nationalités et les origines. « Être », dans ce cas, se traduit par **ser** (*sér*) :

- **Soy mujer**. (*soï mou-rhér*) (Je suis une femme.)
- **Soy Canadiense**. (*soï ka-na-dién-sé*) (Je suis canadien.)
- **Soy de Quebec**. (*soï dé ké-bék*) (Je suis de Québec.)
- **Ellos son muy altos**. (*é-yos son mouï al-tos*) (Ils sont très grands.)
- **¿ Ustedes son Uruguayos ?** (*ous-té-dés son ou-rou-goua-yos*) (Vous êtes Uruguayens ?)
- **Ella es maestra**. (*é-ya és ma-és-tra*) (Elle est institutrice.)
- **Eres muy guapa**. (*é-rés mouï goua-pa*) (Tu es très belle.)
- **Eres muy amable**. (*é-rés mouï a-ma-Blé*) (Tu es très aimable.)

Conjuguer le verbe ser (être)

Le verbe ser (sér) (être) est celui que l'on utilise le plus fréquemment en espagnol et, bien sûr, comme le verbe « être » en français, c'est un verbe irrégulier (pour en savoir plus sur les verbes irréguliers, reportez-vous au chapitre 2). Voici comment il se conjugue au présent :

Conjugaison	Prononciation
yo soy	yo soï
tú eres	tou <u>é</u>-rés
él, ella, ello, uno, usted es	él, <u>é</u>-ya, <u>é</u>-yo, <u>ou</u>-no, ous-<u>téd</u> és
nosotros somos	no-<u>so</u>-tros <u>so</u>-mos
vosotros sois	bo-<u>so</u>-tros <u>soï</u>s
ellos, ellas, ustedes son	<u>é</u>-yos, <u>é</u>-yas, ous-<u>té</u>-dés son

Adieu, les pronoms !

En français, il y a toujours un nom ou un pronom devant le verbe. En espagnol, ce n'est pas obligatoire. Les formes verbales étant différentes à toutes les personnes, il est possible d'omettre les pronoms personnels.

Tout verbe conjugué donne une indication de la personne. Par exemple, en français, on dit « je chante », « tu chantes », « ils chantent ». En espagnol, il suffit de dire canto (je chante), cantas (tu chantes), cantan (ils chantent). Le changement de terminaison s'entend à l'oral et rend inutile la précision du pronom personnel. L'emploi du pronom n'est pas faux, mais il n'est pas usuel, même si, dans un premier temps, il peut vous aider à apprendre à conjuguer le verbe correctement.

Mots clés

pequeño	pé-<u>ké</u>-gno	petit
grande	<u>gran</u>-dé	grand
bastante	Bas-<u>tan</u>-té	assez

Mots clés

buen	Bou<u>én</u>	bon
bueno	Bou<u>é</u>-no	bon
buena	Bou<u>é</u>-na	bonne
caro	<u>ka</u>-ro	cher
un poco	oun <u>po</u>-ko	un peu
ningún	nin-<u>goun</u>	aucun

Une autre façon d'être

L'espagnol est une langue très précise. Il existe deux verbes « être », dont chacun a une signification bien particulière. Ainsi, il n'y a jamais d'ambiguïté sur ce que le locuteur hispanophone veut dire.

Comme nous l'avons vu dans la section précédente, lorsqu'on parle de quelque chose de *permanent*, on utilise le verbe **ser** (*sér*). Mais lorsqu'on fait référence à un état susceptible de changer – être quelque part (on n'y sera pas toujours) ou être dans un état passager (être malade, par exemple) – on utilise le verbe **estar** (*és-<u>tar</u>*). Par conséquent, en espagnol, la question n'est pas « Être ou ne pas être » mais « Être permanent (**ser**) ou ne pas être permanent (**estar**). »

Il existe donc deux verbes pour dire « être ». Dans la section précédente, nous avons vu la conjugaison du verbe ser. Voici celle du verbe estar, au présent :

Conjugaison	Prononciation
yo estoy	yo és-<u>toï</u>
tú estas	tou és-<u>tas</u>
él, ella, ello, uno, usted está	él, <u>é</u>-ya, <u>é</u>-yo, <u>ou</u>-no, ous-<u>téd</u> és-<u>ta</u>

Conjugaison	Prononciation
nosotros estamos	no-<u>so</u>-tros és-<u>ta</u>-mos
vosotros estáis	bo-<u>so</u>-tros és-<u>ta</u>ïs
ellos, ellas, ustedes están	<u>é</u>-yos, é-yas, ous-<u>té</u>-dés és-<u>tan</u>

Ce verbe est très courant et vous le verrez souvent dans ce livre. Par conséquent, vous devez aussi savoir le conjuguer au passé et au futur. Voici d'abord sa conjugaison au passé :

Conjugaison	Prononciation
yo estuve	yo és-<u>tou</u>-bé
tú estuviste	tou és-tou-<u>bis</u>-té
él, ella, ello, uno, usted estuvo	él, <u>é</u>-ya, <u>é</u>-yo, <u>ou</u>-no, ous-<u>téd</u> és-<u>tou</u>-bo
nosotros estuvimos	no-<u>so</u>-tros és-tou-<u>bi</u>-mos
vosotros estuvisteis	bo-<u>so</u>-tros és-tou-<u>bis</u>-téïs
ellos, ellas, ustedes estuvieron	<u>é</u>-yos, é-yas, ous-<u>té</u>-dés és-tou-bi<u>é</u>-ron

Et voici la conjugaison du verbe **estar** au futur :

Conjugaison	Prononciation
yo estaré	yo és-ta-<u>ré</u>
tú estarás	tou és-ta-<u>ras</u>
él, ella, ello, uno, usted estará	él, <u>é</u>-ya, <u>é</u>-yo, <u>ou</u>-no, ous-<u>téd</u> és-ta-<u>ra</u>
Nosotros estaremos	no-<u>so</u>-tros és-ta-<u>ré</u>-mos
Vosotros estaréis	bo-<u>so</u>-tros és-ta-<u>réï</u>s
ellos, ellas, ustedes estarán	<u>é</u>-yos, é-yas, ous-<u>té</u>-dés és-ta-<u>ran</u>

Mots clés

el paseo	él pa-<u>sé</u>-o	la promenade
contento	kon-<u>ten</u>-to	content ; satisfait
feliz	fé-<u>liç</u>	heureux
libre	<u>li</u>-Bré	libre
ocupado	o-cou-<u>pa</u>-do	occupé
este	<u>és</u>-té	ce
el otro	él <u>o</u>-tro	l'autre

Parler pour parler : hablar

Pour approfondir vos conversations au café, vous devez connaître le verbe **hablar** (a-<u>Blar</u>) (parler). Vous serez sans doute ravi de découvrir que **hablar** est un verbe régulier. Vous n'aurez donc pas besoin de mémoriser la façon dont il se conjugue (la conjugaison des verbes réguliers est indiquée au chapitre 2). Il fait partie des verbes du premier groupe, en **-ar**. Le radical est **habl-** et les terminaisons sont conformes aux verbes réguliers de ce groupe.

Conjugaison	Prononciation
yo hablo	yo <u>a</u>-Blo
tú hablas	tou <u>a</u>-Blas
él, ella, ello, uno, usted habla	él, <u>é</u>-ya, <u>é</u>-yo, <u>ou</u>-no, ous-<u>téd</u> <u>a</u>-Bla
nosotros hablamos	no-<u>so</u>-tros a-<u>Bla</u>-mos
vosotros habláis	bo-<u>so</u>-tros a-<u>Bla</u>ïs
ellos, ellas, ustedes hablan	<u>é</u>-yos, <u>é</u>-yas, ous-<u>té</u>-dés <u>a</u>-Blan

Mots clés

mucho	<u>mou</u>-tcho	beaucoup
difícil	di-<u>fi</u>-cil	difficile
fácil	<u>fa</u>-cil	facile
la lengua	la <u>len</u>-goua	la langue
él idioma	el i-<u>dio</u>-ma	la langue
gustar	gous-<u>tar</u>	aimer

Les questions clés

Il existe des questions clés qui permettent de savoir à peu près tout sur une situation donnée. Elles commencent par l'un ou l'autre des mots suivants : qui, quoi, où, quand, pourquoi, comment, combien et quel. Voici la traduction de ces pronoms interrogatifs :

- ✔ ¿ **Quién ?** (*kién*) (Qui ?)
- ✔ ¿ **Qué ?** (*ké*) (Quoi ?)
- ✔ ¿ **Dónde ?** (*<u>don</u>-dé*) (Où ?)
- ✔ ¿ **Cuándo ?** (*kou<u>an</u>-do*) (Quand ?)
- ✔ ¿ **Por qué ?** (*por ké*) (Pourquoi ?)
- ✔ ¿ **Cómo ?** (*<u>ko</u>-mo*) (Comment ?)
- ✔ ¿ **Cuánto ?** (*kou<u>an</u>-to*) (Combien ?)
- ✔ ¿ **Cuál ?** (*kou<u>al</u>*) (Lequel ?)

Voici quelques exemples de questions commençant par ces pronoms :

- ✔ ¿ **Quién es él ?** (*ki<u>én</u> és él*) (Qui est-ce ?)
- ✔ ¿ **Qué hace usted ?** (*ké <u>a</u>-cé ous-<u>téd</u>*) (Que faites-vous ?)
- ✔ ¿ **Dónde viven ?** (*<u>don</u>-dé <u>bi</u>-bén*) (Où habitez-vous ?)

✔ **¿ Cuándo llegaron ?** (*kou<u>an</u>-do yé-<u>ga</u>-ron*) (Quand êtes-vous arrivés ?)

✔ **¿ Por qué estás aquí ?** (*por ké és-<u>tas</u> a-<u>ki</u>*) (Pourquoi es-tu là ?)

✔ **¿ Cómo es la carretera ?** (*<u>ko</u>-mo és la ka-Ré-<u>té</u>-ra*) (Comment est la route ?)

✔ **¿ Cuánto cuesta la habitación ?** (*kou<u>an</u>-to cou<u>és</u>-ta la a-Bi-ta-ci<u>on</u>*) (Combien coûte la chambre ?)

✔ **¿ De estos dos hoteles, cuál es el mejor ?** (*dé <u>és</u>-tos dos o-<u>té</u>-lés kou<u>al</u> és él mé-<u>rhor</u>*) (De ces deux hôtels, lequel est le meilleur ?)

Les accents écrits

Vous avez sans doute remarqué que les pronoms interrogatifs portent un accent écrit. Pourtant, la syllabe accentuée est celle qui porterait l'accent tonique même en l'absence d'accent écrit. Celui-ci indique simplement qu'il s'agit d'une question. Par exemple :

Quien (*ki<u>én</u>*) sans accent est un pronom relatif. Avec un accent, c'est un pronom interrogatif.

✔ **Es Pedro quien lo hace.** (*és <u>pé</u>-dro ki<u>én</u> lo <u>a</u>-cé*) (C'est Pedro qui le fait.) Dans ce cas, quien ne porte par d'accent.

✔ **¿ Quién lo hace ?** (*ki<u>én</u> lo <u>a</u>-cé*) (Qui le fait ?) Dans une question, **quién** porte un accent écrit. C'est aussi le cas dans une phrase exclamative : **¡ Quién !**

La même règle s'applique à tous les autres pronoms de la liste, que la phrase soit interrogative ou exclamative : **¡ Qué !** (*ké*) (Quoi !) **¿ Dónde ?** (*<u>don</u>-dé*) (Où ?) **¡ Cuándo !** (*kou<u>an</u>-do*) (Quand !) **¿ Por qué ?** (*por ké*) (Pourquoi ?) **¡ Cómo !** (*<u>ko</u>-mo*) (Comment ?) **¿ Cuál ?** (*kou<u>al</u>*) (Lequel ?).

Trois expressions utiles à connaître

Parfois, il vous arrive de ne pas comprendre ce qu'on vous dit ou de bousculer quelqu'un et de vouloir vous excuser. Voici quelques expressions qui vous seront d'une aide précieuse dans ce genre de situation :

✔ **No entiendo.** (*no én-tién-do*) (Je ne comprends pas.)

✔ **Lo siento** (*lo sién-to*) (Je suis désolé.)

✔ **¡ Perdone !** (*pér-do-né*) (Pardon ! Excusez-moi !) Expression à utiliser lorsque vous bousculez quelqu'un.

Souvenez-vous que, dans ce cas, l'accent écrit ne change pas l'accentuation du mot. À l'oral, c'est simplement l'inflexion ou le ton de votre voix qui indique à vos interlocuteurs que vous allez poser une question.

Mots clés

la carretera	la ka-Ré-té-ra	la route
el cuarto	él kouar-to	la chambre
llegar	yé-gar	arriver
vivir	bi-bir	vivre ; habiter

La pluie et le beau temps

Le temps est une obsession dans les pays au climat tempéré, où les conditions météorologiques varient beaucoup et sont souvent peu clémentes. Dans les pays chauds, en revanche, on n'accorde pas beaucoup d'importance au temps qu'il fait. Dans certaines villes du nord du Mexique, par exemple, il n'y a même pas de bulletin météorologique.

 En Espagne, le nord du pays (l'Espagne verte) est relativement doux et pluvieux, avec un climat qui s'apparente à celui de la Bretagne. Dans cette région, les hivers sont doux et les étés restent assez frais. Tout le reste du territoire est chaud et sec, les zones côtières étant parfaites à n'importe quel moment de l'année.

Dans les tropiques, il n'y a que deux saisons : la saison des pluies et la saison sèche. Si vous envisagez un voyage en Amérique latine, évitez la saison des pluies, qui est également la période des ouragans. Les ouragans sont gênants (voire franchement dangereux) sur les côtes et apportent beaucoup de pluie dans les régions montagneuses, où se trouvent la plupart des villes. Au Mexique, la saison des pluies commence fin mai et se termine en novembre. Elle bat son plein en juillet et août.

En Amérique latine, il existe une région appelée le « Cône Sud », qui comprend l'Uruguay, l'Argentine et le Chili. Cette région, vous l'avez deviné, a une forme de cône sur la carte. Elle bénéficie d'un climat tempéré, c'est-à-dire chaud en été et froid en hiver. La température ne descend beaucoup que dans l'extrême sud de la région, qui est peu habité.

Le verbe entender : comprendre

Lorsque vous engagez une petite conversation, vous devez vous assurer de comprendre ce qu'on vous répond. En espagnol, « comprendre » se dit **entender** (*én-tén-dér*). C'est un verbe irrégulier, dont voici la conjugaison au présent :

Conjugaison	Prononciation
yo entiendo	yo én-ti*én*-do
tú entiendes	tou én-ti*én*-dés

Conjugaison	Prononciation
él, ella, ello, uno, usted entiende	él, <u>é</u>-ya, <u>é</u>-yo, <u>ou</u>-no, ous-<u>téd</u> én-ti<u>én</u>-de
nosotros entendemos	no-<u>so</u>-tros én-tén-<u>dé</u>-mos
vosotros entendéis	bo-<u>so</u>-tros én-tén-<u>déï</u>s
Ellos, ellas, ustedes entienden	<u>é</u>-yos, <u>é</u>-yas, ous-<u>té</u>-dés én-ti<u>én</u>-dén

Entender s'emploie aussi dans un autre sens. Dans l'expression **entender de** (*én-tén-<u>dér</u> dé*), il signifie « avoir des notions de ».

Voici quelques exemples de phrases comportant le verbe irrégulier **entender** :

- ✔ **Yo entiendo de música.** (*yo én-ti<u>én</u>-do dé <u>mou</u>-si-ka*) (J'ai des notions de musique.)
- ✔ **Francisca entiende de cocina.** (*fran-ci<u>s</u>-ka én-ti<u>én</u>-dé dé ko-ci-na*) (Francisca a des notions de cuisine.)
- ✔ **Nosotros entendemos el problema.** (*no-<u>so</u>-tros én-tén-<u>dé</u>-mos él pro-<u>Blé</u>-ma*) (Nous comprenons le problème.)
- ✔ **Pedro no entiende.** (*<u>pé</u>-dro no én-ti<u>én</u>-dé*) (Pedro ne comprend pas.)
- ✔ **Ellos entienden lo que decimos.** (*<u>é</u>-yos én-ti<u>én</u>-dén lo ké dé-ci-mos*) (Ils comprennent ce que nous disons.)

Famille et liens de parenté

Dans les pays hispanophones, notamment en Amérique latine, la famille a beaucoup d'importance. La plupart des individus construisent leur vie privée et professionnelle en fonction de leur famille. Par conséquent, lorsque vous rencontrez un hispanophone, vous devez être attentif à sa famille et connaître toute la terminologie des liens de parenté.

Les traditions familiales, comme les mariages ou les baptêmes, sont très respectées. Les hispano-phones y mettent beaucoup d'énergie et d'enthousiasme. Au Mexique, la fête des mères, le 10 mai, est l'une des fêtes les plus impor-tantes, après la Toussaint, Noël et Pâques. En Amérique latine, le calendrier compte de nom-breux jours fériés. Toutes les occasions sont bonnes pour faire la fête.

Voici les noms des membres de la famille selon les liens de parenté :

- **padre** (_pa-dré_) (père)
- **madre** (_ma-dré_) (mère)
- **hijo** (_i-rho_) (fils)
- **hija** (_i-rha_) (fille)
- **hermano** (_ér-ma-no_) (frère)
- **hermana** (_ér-ma-na_) (sœur)
- **yerno** (_yér-no_) (gendre)
- **nuera** (_noué-ra_) (belle-fille)
- **nieto** (_nié-to_) (petit-fils)
- **nieta** (_nié-ta_) (petite-fille)
- **cuñado** (_cou-gna-do_) (beau-frère)
- **cuñada** (_cou-gna-da_) (belle-sœur)
- **primo** (_pri-mo_) (cousin)
- **prima** (_pri-ma_) (cousine)
- **padrino** (_pa-dri-no_) (parrain)
- **madrina** (_ma-dri-na_) (marraine)
- **tío** (_tio_) (oncle)
- **tía** (_tia_) (tante)
- **abuelo** (_a-Boué-lo_) (grand-père)
- **abuela** (_a-Boué-la_) (grand-mère)

Le verbe vivir : habiter

Il est naturel, une fois que vous avez été invité chez quelqu'un, de rendre l'invitation. En outre, on vous demandera souvent où vous habitez. En espagnol, « habiter » se dit **vivir** (*bi-bir*). C'est un verbe régulier, dont voici la conjugaison au présent.

Conjugaison	Prononciation
yo vivo	yo <u>bi</u>-bo
tú vives	tou <u>bi</u>-bés
él, ella, ello, uno, usted vive	él, <u>é</u>-ya, <u>é</u>-yo, <u>ou</u>-no, ous-<u>téd</u> bi-bé
nosotros vivimos	no-<u>so</u>-tros bi-<u>bi</u>-mos
vosotros vivís	bo-<u>so</u>-tros bi-<u>bis</u>
ellos, ellas, ustedes viven	<u>é</u>-yos, <u>é</u>-yas, ous-<u>té</u>-dés <u>bi</u>-bén

Les diminutifs

En français, on utilise le suffixe diminutif – et ou – ette pour faire référence a quelque chose de petit. Par exemple, une maisonnette. Mais l'emploi de ce suffixe est peu fréquent. En espagnol, le suffixe diminutif, **-ito** (*i-to*) ou **-ita** (*i-ta*), n'est pas rare. **Niñito** (*ni-gni-to*) (petit garçon) est le diminutif de **niño** (<u>ni</u>-gno) (garçon).

Si les diminutifs sont courants en Espagne, ils le sont encore plus dans les pays latino-américains situés à proximité de la cordillère des Andes, comme le Chili, le Pérou et l'Équateur.

Chapitre 5
Dîner au restaurant

● ●

Dans ce chapitre :

▶ Demander à boire et à manger

▶ Poser des questions simples au restaurant

▶ Réserver et payer l'addition

● ●

L a gastronomie tient une place importance dans toutes les cultures. Chaque pays et région d'Espagne et d'Amérique latine a sa propre cuisine, ce qui multiplie à l'infini les découvertes culinaires. En Espagne, le poisson frit, le jambon de pays et beaucoup d'autres spécialités savoureuses vous attendent.

¡ Buen provecho ! Bon appétit !

En Espagne, dans les bars à **tapas** (*ta-pas*), où des spécialités régionales sont servies avec les boissons, tout le monde mange dans le même plat, bien qu'il soit possible de commander **un plato** (*pla-to*) (une assiette ; un plat) pour chaque personne.

 Voici les plats les plus populaires dans les différents pays hispanophones :

✔ Les Espagnols mangent régulièrement des petits hors-d'œuvre appelés **tapas** (*ta-pas*).

✔ Les Argentins et les Chiliens ont une cuisine moins épicée et plus européenne que les Mexicains.

✔ Les Péruviens et les Boliviens aiment les épices.

✔ Du Rio Grande à l'Amérique centrale, l'aliment principal est le maïs, céréale qui peut être préparée de mille façons différentes.

- ✔ De la Colombie au sud de l'Amérique latine, les pommes de terre, le blé et l'orge sont les aliments de base avec, bien sûr, le maïs.

- ✔ Au Pérou, il existe une céréale appelée **quínoa** (_ki_-no-a), qui ressemble un peu à l'orge, et une farine appelée **chuño** (_tchou_-gno), fabriquée à partir de pommes de terre séchées.

- ✔ Si vous aimez le bœuf, vous ne trouverez pas mieux qu'en Argentine. Les Argentins en mangent beaucoup et savent le préparer pour révéler toute sa saveur.

- ✔ Au Mexique, vous pouvez manger des **tortillas** (tor-_ti_-yas) – galettes de maïs rondes et molles !

Termes de la table

Lorsque vous préparerez un repas, les phrases suivantes vous seront utiles.

- ✔ **¡ A poner la mesa !** (a po-_nér_ la _mé_-sa) (Mettez la table !)

- ✔ **Aquí están los platos y los vasos.** (a-_ki_ és-_tan_ los _pla_-tos i los _ba_-sos) (Voici les assiettes et les verres.)

- ✔ **¿ Qué cubiertos ?** (ké kou-_Biér_-tos) (Quels couverts ?)

- ✔ **Cuchara, cuchillo, tenedor y cucharita.** (kou-_tcha_-ra kou-_tchi_-yo té-né-_dor_ i kou-tcha-_ri_-ta) (Cuillère, couteau, fourchette et petite cuillère.)

- ✔ **Aquí están la servilletas.** (a-_ki_ és-_tan_ las sér-bi-_yé_-tas) (Voici les serviettes.)

- ✔ **Más sal en el salero.** (mas sal én él sa-_lé_-ro) (Plus de sel dans la salière.)

Expressions utilisées au cours des repas

Voici quelques termes liés au repas :

- ✔ **Desayuno** (dé-sa-_yu_-no) (petit-déjeuner)
- ✔ **Almuerzo** (al-mouér-ço) (déjeuner)

- ✔ **Comida** (*ko-<u>mi</u>-da*) (déjeuner ; dîner)
- ✔ **Cena** (*<u>cé</u>-na*) (souper)
- ✔ **Tengo sed** (*<u>tén</u>-go séd*) (J'ai soif)
- ✔ **Tiene hambre** (*tié-né <u>am</u>-Bré*) (il/elle a faim)

À table, vous entendrez les expressions suivantes, que vous pourrez utiliser vous aussi :

- ✔ **¡ Buen provecho !** (*Bou<u>én</u> pro-<u>bé</u>-tcho*) (Bon appétit !)
- ✔ **¿ Con qué está servido ?** (*kon ké és-<u>ta</u> sér-<u>bi</u>-do*) (Qu'est-ce qu'il y a en accompagnement ?)
- ✔ **Está caliente.** (*és-<u>ta</u> ka-li<u>én</u>-té*) (C'est chaud.)
- ✔ **Está frío.** (*és-<u>ta</u> <u>frio</u>*) (C'est froid.)
- ✔ **Está picante.** (*és-<u>ta</u> pi-<u>kan</u>-té*) (C'est épicé.)
- ✔ **Es sabroso.** (*és sa-<u>Bro</u>-so*) (C'est savoureux.)
- ✔ **Lo siento, no tenemos…** (*lo si<u>én</u>-to no té-<u>né</u>-mos*) (Désolé, nous n'avons pas…)
- ✔ **¿ Qué ingredientes tiene ?** (*ké in-gré-di<u>én</u>-tés ti<u>é</u>-né*) (Quels ingrédients y a-t-il ?)
- ✔ **¿ Qué más trae el plato ?** (*ké mas <u>tra</u>-é él <u>pla</u>-to*) (Qu'est-ce qu'il y a d'autre dans ce plat ?)

Voici enfin quelques termes qui vous aideront à commander une boisson :

- ✔ **Escoger un vino.** (*és-co-<u>rhér</u> oun <u>bi</u>-no*) (Choisir un vin.)
- ✔ **¡ Salud !** (*sa-<u>loud</u>*) (Santé !)
- ✔ **Tomar un refresco.** (*to-<u>mar</u> oun ré-<u>frés</u>-ko*) (Boire quelque chose ; un rafraîchissement [sans alcool].)
- ✔ **Tomar una copa.** (*to-<u>mar</u> <u>ou</u>-na <u>ko</u>-pa*) (Boire un verre [alcoolisé].)
- ✔ **Un vaso de agua.** (*oun <u>ba</u>-so de <u>a</u>-goua*) (Un verre d'eau.)
- ✔ **Un vaso de leche.** (*oun <u>ba</u>-so dé <u>lé</u>-tché*) (Un verre de lait.)

Trois verbes utilisés à table

En ce qui concerne la boisson, en espagnol, on utilise deux verbes : **tomar** (*to-mar*) et **beber** (*Bé-Bér*).

Prendre un verre : le verbe tomar

Tomar (*to-mar*) signifie littéralement « prendre » et, le plus souvent, il est utilisé strictement dans ce sens. Mais dans l'expression **tomar una copa** (*to-mar ou-na ko-pa*), il s'agit de « prendre un verre » au sens de le boire.

Tomar est un verbe régulier en **-ar** (*ar*), dont le radical est **tom-** (*tom*). Voici comment il se conjugue au présent :

Conjugaison	Prononciation
yo tomo	yo to-mo
tú tomas	tou to-mas
él, ella, ello, uno, usted toma	él, é-ya, é-yo, ou-no, ous-téd to-ma
nosotros tomamos	no-so-tros to-ma-mos
vosotros tomáis	bo-so-tros to-maïs
ellos, ellas, ustedes toman	é-yos, é-yas, ous-té-dés to-man

Boire : le verbe beber

Le verbe **beber** (*Bé-Bér*) (boire) s'applique directement et exclusivement à la boisson. Dans ce cas, pas de doute possible.

Beber (*Bé-Bér*) est un verbe régulier en **-er** (*ér*), dont le radical est **beb-** (*BéB*). Voici comment il se conjugue au présent :

Conjugaison	Prononciation
yo bebo	yo Bé-Bo
tú bebes	tou Bé-Bés
él, ella, ello, uno, usted bebe	él, é-ya, é-yo, ou-no, ous-téd Bé-Bé

Conjugaison	Prononciation
nosotros bebemos	no-<u>so</u>-tros <u>Bé</u>-<u>Bé</u>-mos
vosotros bebéis	bo-<u>so</u>-tros <u>Bé</u>-<u>Bé</u>ïs
ellos, ellas, ustedes beben	<u>é</u>-yos, <u>é</u>-yas, ous-<u>té</u>-dés <u>Bé</u>-Bén

Manger : le verbe comer

Comer (*ko-<u>mér</u>*) (manger) est un verbe régulier en **-er** (*ér*), dont le radical est **com-** (*kom*). Voici comment il se conjugue au présent :

Conjugaison	Prononciation
yo como	yo <u>ko</u>-mo
tú comes	tou <u>ko</u>-més
él, ella, ello, uno, usted come	él, <u>é</u>-ya, <u>é</u>-yo, <u>ou</u>-no, ous-<u>téd</u> <u>ko</u>-mé
nosotros comemos	no-<u>so</u>-tros ko-<u>mé</u>-mos
vosotros coméis	bo-<u>so</u>-tros ko-<u>mé</u>ïs
ellos, ellas, ustedes comen	<u>é</u>-yos, <u>é</u>-yas, ous-<u>té</u>-dés <u>ko</u>-mén

Au restaurant : des cuisines exotiques

Au restaurant, il n'est pas toujours évident de déchiffrer la carte. Pourtant, l'Espagne et l'Amérique latine comptent de nombreuses spécialités aussi savoureuses qu'exotiques et il serait dommage de passer à côté. Voici donc les principaux plats des pays hispanophones :

- ✔ En Espagne, la **tortilla** (*tor-<u>ti</u>-ya*) est une omelette aux pommes de terre et aux oignons, servie chaude ou froide.

- ✔ Au Mexique, **agua** (*<u>a</u>-goua*) est tout simplement de l'eau (sens littéral), mais aussi une boisson à base d'eau, de fruit et de sucre. Tous les fruits, et même certains légumes, peuvent être utilisés pour faire des **aguas** (*<u>a</u>-gouas*).

✔ Au Chili, une **aguita** (*a-goui-ta*), littéralement « petite eau », est une tisane, servie après le repas.

✔ **Empanada** (*ém-pa-na-da*) signifie littéralement « en pain ». On en trouve en Espagne et en Amérique latine. Au Mexique, une **empanada** est une galette de maïs pliée et fourrée. En Argentine et au Chili, la pâte est à base de blé. Les Argentins les font petites, tandis que les Chiliens les aiment grandes. Dans tous les cas, elles sont délicieuses !

✔ Au Mexique, un **elote** (*é-lo-té*) est un épi de maïs. En Argentine, au Chili, au Pérou et en Bolivie, c'est ce qu'on appelle un **choclo** (*tcho-clo*).

✔ Les **judías verdes** (*rhou-dias bér-dés*), terme utilisé en Espagne, sont des haricots. On les appelle **ejotes** (*é-rho-tés*) au Mexique et **porotos verdes** (*po-ro-tos bér-dés*) ou **porotitos** (*po-ro-ti-tos*) en Amérique du Sud. Les haricots secs sont des **porotos** (*po-ro-tos*) dans la plupart des pays d'Amérique latine, excepté au Mexique, où on les appelle **frijoles** (*fri-rho-lés*). Au Pérou, il existe de nombreuses variétés de haricots. Il y en a de toutes les couleurs, de toutes les formes et de toutes les tailles. Vous en aurez l'eau à la bouche. N'hésitez pas à tous les goûter !

✔ Au Chili, le **filete** (*fi-lé-té*) est un filet de bœuf. En Argentine, ce morceau s'appelle **lomo** (*lo-mo*).

✔ En Argentine, le plat de base est le **bife con papas y ensalada** (*bi-fé con pa-pas i én-sa-la-da*), c'est-à-dire le bifteck avec pommes de terre et salade. Dans ce pays, vous trouverez toutes les grillades que vous connaissez et quelques autres plus exotiques, comme les **chinchulines** (*tchin-tchou-li-nés*), tripes grillées, et les **mollejas** (*mo-yé-rhas*), thyroïdes de vache. ¡ *Deliciso* !

✔ En Espagne et au Mexique, les **mollejas** (*mo-yé-rhas*) sont des gésiers de poulet, appelés **contres** (*kon-trés*) au Chili.

✔ Le **hígado** (*i-ga-do*), terme utilisé en Espagne et dans la plupart des pays d'Amérique latine, est le foie. Au Chili, c'est la **pana** (*pa-na*).

✔ En Espagne, le **jamón serrano** (*rha-mon sé-Ra-no*) est un jambon cru de pays, particulièrement savoureux.

Si vous aimez le poisson et les fruits de mer, allez de préférence au Chili ou au Pérou. Les meilleurs poissons du monde sont issus du courant de Humboldt, qui vient de l'Antarctique.

✔ Le **loco** (*lo-ko*) est un pétoncle véritablement gigantesque et le **congrio** (*kon-grio*) (congre) est un poisson.

✔ Vous pourrez manger également de l'**albacora** (*al-Ba-ko-ra*) (espadon), du **cangrejo** (*kan-gré-rho*) (crabe), des **jaibas** (*rhaï-Bas*) (écrevisses), de la **langosta** (*lan-gos-ta*) (langouste), du **langostino** (*lan-gos-ti-no*) (langoustine), des **camarones** (*ka-ma-ro-nés*) (crevettes grises) et autres délices qui viendront agrémenter votre **sopa marinera** (*so-pa ma-ri-ne-ra*) (soupe de poisson).

✔ Au Pérou, ne manquez pas le **ceviche** (*sé-bi-tché*), plat à base de poisson ou de fruits de mer crus. Il existe plusieurs sortes de **ceviche**. En général, il se mange très épicé. Le poisson ou les fruits de mer crus marinent dans le jus de citron et sont assaisonnés avec du sel et des piments rouges. Cette préparation est une sorte de cuisson. Sensationnel !

Si vous avez envie de découvrir des spécialités, essayez celles-ci :

✔ En Espagne, la **paella** (*pa-é-ya*) est évidemment la spécialité la plus populaire.

✔ Le **gazpacho** (*gaç-pa-tcho*), autre spécialité espagnole, est une soupe de légumes froide, assaisonnée à l'huile d'olive, à l'ail et au vinaigre.

✔ **Aguacate** (*a-goua-ka-té*) en Espagne et au Mexique ou **palta** (*pal-ta*) en Argentine, en Uruguay et au Chili, il s'agit de l'avocat.

✔ Au Mexique, le **pan** (*pan*) n'est pas nécessairement du pain comme dans les autres pays hispanophones. Il peut s'agir d'une viennoiserie.

✔ Toujours au Mexique, la **torta** (_tor-ta_) est un sandwich (pain moulé, tranché, et garni). Mais dans le reste de l'Amérique latine, **torta** signifie « gâteau » et un sandwich se dit sandwich (quel que soit le type de pain).

✔ Les **memelas** (_mé-mé-las_), au Mexique également, sont des galettes de maïs pliées, dont les bords se rejoignent pour former des tortes auxquelles on ajoute une garniture.

Les sauces : froides, chaudes et épicées !

En Amérique latine, les sauces constituent une grande partie de la gastronomie, en particulier au Mexique, où vous pourrez goûter une infinité de sauces aux saveurs et aux textures très variées.

Moles : sauces chaudes et épicées

Les **moles** (_mo-lés_) sont des sauces mexicaines servies chaudes sur de la viande rouge ou du poulet.

✔ **Mole negro** (_mo-lé né-gro_) : sauce noire dont tous les ingrédients sont grillés : cacao, piments, amandes, oignons, ail et pain. Elle peut être plus ou moins épicée.

✔ **Mole colorado** (_mo-lé ko-lo-ra-do_) : sauce rouge au piment. Cette sauce, qu'on appelle également coloradito, est très épicée.

✔ **Mole amarillo** (_mo-lé a-ma-ri-yo_) : sauce jaune-orange, légèrement épicée, qui se compose notamment d'amandes et de raisins secs.

✔ **Mole verde** (_mo-lé bér-dé_) : sauce verte, plus ou moins épicée, qui se compose de tomates vertes, de piments verts et de coriandre.

Dans les familles mexicaines, les moles ne sont pas au menu tous les jours. Ces sauces raffinées sont servies uniquement lors des grandes occasions. Les touristes, en revanche, ont la chance de pouvoir les déguster dans tous les restaurants.

Sauces froides d'assaisonnement : épicées aussi !

Les Mexicains laissent sur la table des sauces froides
pour ceux qui souhaitent épicer davantage leurs plats.

- ✔ **Pico de gallo** (*pi-ko dé ga-yo*), littéralement « bec
  de coq » : sauce rouge, verte et blanche, faite
  exclusivement avec des légumes : tomates,
  piments Jalapeño, coriandre et oignons. Épicé !

- ✔ **Guacamole** (*goua-ka-mo-lé*) : dip connu en
  France, qui se compose d'avocat, de piment
  rouge, de coriandre, de citron et de sel. Parfois
  très épicé !

- ✔ **Salsa verde** (*sal-sa bér-dé*) : sauce verte aux
  tomates vertes, aux piments et à la coriandre.
  Épicé !

- ✔ **Salsa roja** (*sal-sa rho-ra*) : sauce rouge aux
  tomates rouges et aux piments. Épicé !

Demander ce que vous voulez : le verbe querer

Le verbe **querer** (*ké-rér*) signifie « vouloir ».

 Querer est un verbe irrégulier. Le radical quer-
(kér) devient quier- (kiér) à certaines personnes.

Conjugaison	Prononciation
yo quiero	yo kié-ro
tú quieres	tou kié-rés
él, ella, ello, uno, usted quiere	él, é-ya, é-yo, ou-no, ous-téd kié-ré
nosotros queremos	no-so-tros ké-ré-mos
vosotros queréis	bo-so-tros ké-réïs
ellos, ellas, ustedes quieren	é-yos, é-yas, ous-té-dés kié-rén

Besoin d'aller aux toilettes ?

Ne serait-ce que pour vous laver les mains ou vous repoudrer le nez, vous avez toujours besoin d'aller aux toilettes. En général, comme partout ailleurs, plus le restaurant est cher, plus les toilettes sont avenantes. Voici quelques expressions qui vous aideront à trouver la pièce que vous cherchez :

¿ Dónde están los servicios ? (*don-dé és-tan los sér-bi-cios*) (Où sont les toilettes ?)

Los servicios están al fondo, a la derecha. (*los sér-bi-cios és-tan al fon-do a la dé-ré-tcha*) (Les toilettes sont au fond, à droite.)

¿ Aquí están los servicios ? (*a-ki és-tan los sér-bi-cios*) (Les toilettes, c'est ici ?)

No, no están aquí. Allí están. (*no no és-tan a-ki a-yi és-tan*) (Non, ce n'est pas ici. C'est là.)

Commander une boisson

En général, les apéritifs ou cocktails servis dans les restaurants sont semblables à ceux que l'on consomme en France, à quelques exceptions près : l'**aguardiente** (*a-gouar-dién-te*), eau-de-vie, la **tequila** (*té-ki-la*) et le **mezcal** (*méç-kal*), liqueurs à base de cactus, et le **pisco** (*pis-ko*), eau-de-vie que l'on trouve dans les Andes et au Chili.

Toutes ces liqueurs servent aussi à la préparation de coktails. Au Chili et au Pérou, vous pourrez goûter le *pisco sour*, cocktail à base de pisco, de sucre et de jus de citron.

Hep, garçon !

En Espagne, « garçon » se dit **camarero** (*ka-ma-re-ro*).

En Argentine, c'est le **mozo** (*mo-ço*), littéralement « jeune homme ».

Au Chili, **mozo** est injurieux. Dites **garzón** (*gar-son*), terme dérivé du français « garçon ».

Si vous utilisez l'un ou l'autre de ces termes au Mexique, vous risquez de n'obtenir aucune réaction. Pour attirer l'attention du garçon, appelez-le **joven** (*rho-vén*), littéralement « jeune », même s'il ne l'est plus vraiment.

Enfin, si c'est une femme qui vous sert, appelez-la simplement **señorita** (*sé-gno-ri-ta*) (mademoiselle), où que vous soyez.

Chapitre 6

Faire des achats

• •

Dans ce chapitre :

▶ Trouver les bons magasins pour les bons achats

▶ Faire du shopping en toute tranquillité

▶ Essayer, comparer et acheter

• •

Que ce soit un plaisir ou une corvée, faire les courses est inévitable ! Voici toute une panoplie d'expressions pour faire vos achats en toute tranquillité !

Faire des achats : le verbe comprar

Comprar (kom-prar) signifie « acheter » et ir de compras (ir dé kom-pras), « faire les courses ». Comprar est un verbe régulier en -ar (ar), dont le radical est compr- (kompr). Au présent, il se conjugue de la manière suivante :

Conjugaison	Prononciation
yo compro	yo <u>kom</u>-pro
tú compras	tou <u>kom</u>-pras
él, ella, ello, uno, usted compra	él, <u>é</u>-ya, <u>é</u>-yo, <u>ou</u>-no, ous-<u>téd</u> <u>kom</u>-pra
nosotros compramos	no-<u>so</u>-tros kom-<u>pra</u>-mos
vosotros compráis	bo-<u>so</u>-tros kom-<u>praï</u>s
ellos, ellas, ustedes compran	<u>é</u>-yos, <u>é</u>-yas, ous-<u>té</u>-dés <u>kom</u>-pran

Expressions utiles

Voici trois phrases comportant la locution ir de compras (ir dé kom-pras) (faire des courses) :

- ✔ **Fue de compras** (*foué dé <u>kom</u>-pras*) (Il/Elle est allé(e) faire des courses.)

- ✔ **¡ Voy de compras !** (*boï dé <u>kom</u>-pras*) (Je vais faire des courses !)

- ✔ **¡ Vamos de compras al mercado !** (*<u>ba</u>-mos dé <u>kom</u>-pras al mér-<u>ka</u>-do*) (Allons faire des courses au marché !)

Au marché

Dans les marchés, couverts ou à ciel ouvert, les vendeurs risquent de vous héler pour vous vendre des produits dont vous ne voulez pas forcément. Lorsque vous n'êtes pas intéressé, vous pouvez répondre comme suit :

- ✔ **Ahora no, gracias.** (*a-<u>o</u>-ra no <u>gra</u>-cias*) (Pas maintenant, merci.)

- ✔ **Ya tengo, gracias.** (*ya <u>tén</u>-go <u>gra</u>-cias*) (J'en ai déjà, merci.)

- ✔ **No me interesa, gracias.** (*no mé in-té-<u>ré</u>-sa <u>gra</u>-cias*) (Ça ne m'intéresse pas, merci.)

- ✔ **Más tarde, gracias.** (*mas <u>tar</u>-dé <u>gra</u>-cias*) (Plus tard, merci.)

- ✔ **No me gusta, gracias.** (*no mé <u>gous</u>-ta <u>gra</u>-cias*) (Je n'aime pas ça, merci.)

- ✔ **No me moleste, ¡ por favor !** (*no mé mo-<u>lés</u>-té por fa-<u>bor</u>*) (Ne m'importunez pas, s'il vous plaît !)

Acheter des fruits

Voici le nom des fruits que vous trouverez au marché :

- ✔ **La cereza** (*la çé-<u>ré</u>-ça*) (la cerise)
- ✔ **La ciruela** (*la çi-rou<u>é</u>-la*) (la prune)

- ✔ **La fresa** (*la fré-sa*) (la fraise) [Espagne, Mexique et Amérique centrale]
- ✔ **La frutilla** (*la frou-ti-ya*) (la fraise) [de la Colombie au pôle Sud]
- ✔ **La guayaba** (*la goua-ya-Ba*) (la goyave)
- ✔ **El higo** (*él i-go*) (la figue)
- ✔ **La lima** (*la li-ma*) (le citron vert)
- ✔ **El limón** (*él li-mon*) (le citron)
- ✔ **El mango** (*él man-go*) (la mangue)
- ✔ **La manzana** (*la man-ça-na*) (la pomme)
- ✔ **El melocotón** (*él mé-lo-ko-ton*) ; **el durazno** (*él dou-raç-no*) [Amérique latine] (la pêche)
- ✔ **El melón** (*él mé-lon*) (le melon)
- ✔ **La mora** (*la mo-ra*) (la mûre)
- ✔ **La naranja** (*la na-ran-rha*) (l'orange)
- ✔ **La papaya** (*la pa-pa-ya*) (la papaye)
- ✔ **La pera** (*la pé-ra*) (la poire)
- ✔ **El plátano** (*él pla-ta-no*) (la banane)
- ✔ **El pomelo** (*él po-mé-lo*) (le pamplemousse)
- ✔ **La sandía** (*la san-dia*) (la pastèque)
- ✔ **La toronja** (*la to-ron-rha*) (le pamplemousse) [Mexique]
- ✔ **La tuna** (*la tou-na*) (la figue de Barbarie)
- ✔ **La uva** (*la ou-ba*) (le raisin)

Acheter des légumes

Tous les légumes frais sont bons. Vous en trouverez de toutes sortes.

- ✔ **Las acelgas** (*las a-cel-gas*) (les bettes)
- ✔ **El aguacate** (*él a-goua-ka-té*) (l'avocat)
- ✔ **El ají** (*él a-rhi*) [Amérique du Sud] ; **el chile** (*él tchi-lé*) [Mexique et Guatemala] (le piment)
- ✔ **El ajo** (*él a-rho*) (l'ail)
- ✔ **El brócoli** (*él Bro-ko-li*) (le brocoli)

✔ **El calabacín** (*él ka-la-Ba-cin*) (la courgette)

✔ **La calabaza** (*la ka-la-<u>Ba</u>-ça*) (la courge)

✔ **Las cebollas** (*las çé-<u>Bo</u>-yas*) (les oignons)

✔ **El chile morrón** (*él <u>tchi</u>-lé mo-<u>Ron</u>*) (le poivron) [Mexique]

✔ **La col** (*la kol*) (le chou)

✔ **La coliflor** (*la ko-li-<u>flor</u>*) (le chou-fleur)

✔ **Las espinacas** (*las és-pi-<u>na</u>-kas*) (les épinards)

✔ **La lechuga** (*la lé-<u>tchou</u>-ga*) (la laitue)

✔ **Las patatas** (*las pa-<u>ta</u>-tas*) ; **las papas** (*las <u>pa</u>-pas*) [Amérique latine] (les pommes de terre)

✔ **La palta** (*la <u>pal</u>-ta*) (l'avocat) [Amérique du Sud]

✔ **El pimiento** (*él pi-mi<u>én</u>-to*) (le piment)

✔ **El pimiento morrón** (*él pi-mi<u>én</u>-to mo-<u>Ron</u>*) (le poivron)

✔ **El repollo** (*él ré-<u>po</u>-yo*) (le chou) [Argentine et Chili]

✔ **La zanahoria** (*la ça-na-<u>o</u>-ria*) (la carotte)

✔ **El zapallito** (*él ça-pa-<u>yi</u>-to*) (la courgette) [Uruguay et Argentine]

✔ **El zapallo** (*él ça-<u>pa</u>-yo*) (la courge) [Amérique du Sud]

Acheter du poisson

Voici quelques noms de poissons qui vous aideront à faire votre choix au marché :

✔ **El congrio** (*él <u>kon</u>-grio*) (le congre) [sur les côtes du Chili et du Pérou]

✔ **Las gambas** (*las <u>gam</u>-Bas*) ; **los camarones** (*los ka-ma-<u>ro</u>-nés*) [Amérique latine] (les crevettes)

✔ **El huachinango** (*él oua-tchi-<u>nan</u>-go*) (le vivaneau)

✔ **El langostino** (*él lan-gos-<u>ti</u>-no*) (la langoustine)

✔ **Los mariscos** (*los ma-<u>ris</u>-kos*) (les fruits de mer)

✔ **El pescado** (*él pés-<u>ka</u>-do*) (le poisson)

✔ **La trucha** (*la <u>trou</u>-tcha*) (la truite)

Connaître les mesures : poids et quantités

Au marché, il ne suffit pas de savoir désigner les produits frais. Encore faut-il pouvoir dire combien on en veut. Un kilo se dit **un kilo** (*oun ki-lo*) et un gramme, **un gramo** (*oun gra-mo*). Enfin, un litre se dit **un litro** (*oun li-tro*). Voici d'autres termes pour préciser une quantité :

- ✔ **Una docena** (*ou-na do-cé-na*) (une douzaine)
- ✔ **Media docena** (*mé-dia do-cé-na*) (une demi-douzaine)
- ✔ **Una cincuentena** (*ou-na çin-kouén-té-na*) (une cinquantaine)
- ✔ **Una centena** (*ou-na çén-té-na*) (une centaine)
- ✔ **Un millar** (*oun mi-yar*) (un millier)

Au supermarché

Après avoir acheté vos produits frais au marché, vous aurez peut-être besoin d'aller au **supermercado** (*sou-pér-mér-ka-do*) (supermarché) pour vous ravitailler en conserves, féculents et céréales.

Voici quelques termes et expressions qui vous seront utiles lors de vos achats au supermarché :

- ✔ **El arroz** (*él a-Roç*) (le riz)
- ✔ **El atún** (*él a-toun*) (le thon)
- ✔ **Los cereales** (*los çé-ré-a-lés*) (les céréales)
- ✔ **Las conservas** (*kon-sér-bas*) (les conserves)
- ✔ **Las galletas** (*las ga-yé-tas*) (les biscuits)
- ✔ **La leche** (*la lé-tché*) (le lait)
- ✔ **Pagar** (*pa-gar*) (payer)
- ✔ **El pasillo** (*él pa-si-yo*) (l'allée)
- ✔ **Las pastas** (*las pas-tas*) (les pâtes)
- ✔ **Las sardinas** (*las sar-di-nas*) (les sardines)

- ✔ **El vino** (*él bi-no*) (le vin)
- ✔ **La vuelta** (*la bouél-ta*) ; **el vuelto** (*él bouél-to*) [Amérique latine] (la monnaie)
- ✔ **El tercer pasillo** (*él tér-cér pa-si-yo*) (la troisième allée)
- ✔ **Al fondo** (*al fon-do*) (au fond)
- ✔ **Gracias, aquí está su vuelta.** (*gra-cias a-ki és-ta sou bouél-ta*) (Merci, voici votre monnaie.)

Les grands magasins

Si vous êtes un(e) inconditionnel(le) du shopping, vous apprécierez les grands magasins des grandes villes. Vous pourrez voir où et comment les autochtones s'habillent et s'approvisionnent en produits divers.

En revanche, si vous cherchez des produits typiques, les grands magasins, ce n'est pas pour vous. Pour acheter des vêtements et des objets traditionnels, faites plutôt les marchés et laissez-vous griser par l'ambiance. Dans ce cas, rendez-vous directement à la section « Faire des achats dans les marchés traditionnels », plus loin dans ce chapitre.

Dans les grands magasins, les prix sont clairement indiqués et étiquetés. Vous pourrez donc y acheter facilement certains produits qui restent des spécialistés locales.

 Dans les pays hispanophones, l'étiquetage n'est pas aussi systématique qu'en France. En Amérique latine, les emballages ne comportent pas nécessairement toutes les informations dont vous avez besoin. D'une façon générale, les normes ne sont pas aussi strictes qu'en Europe. Fiez-vous à votre instinct et à votre expérience.

Voici quelques expressions utiles dans un grand magasin :

- ✔ **¿ Dónde está la entrada ?** (*don-dé és-ta la én-tra-da*) (Où est l'entrée ?)

✔ **¿ Dónde está la salida ?** (*don-dé és-ta la sa-li-da*)
(Où est la sortie ?)

✔ **Empuje** (*ém-pou-rhé*) (poussez)

✔ **Tire** (*ti-ré*) (tirez)

✔ **Jale** (*rha-lé*) (tirez) [Mexique]

✔ **El ascensor** (*él as-cén-sor*) (l'ascenseur)

✔ **La escalera mecánica** (*la és-ka-lé-ra mé-ka-ni-ka*)
(l'escalator)

✔ **El vendedor** (*él bén-dé-dor*) (le vendeur) ; **la ven-
dedora** (*la bén-dé-do-ra*) (la vendeuse)

✔ **La caja** (*la ka-rha*) (la caisse)

Imaginez que vous fassiez le programme de votre journée et que vous vouliez connaître les heures d'ouverture du magasin. Voici les questions que vous devez
poser :

✔ **¿ A qué hora abren ?** (*a ké o-ra a-Brén*) (À quelle
heure ouvrez-vous ?)

✔ **¿ A qué hora cierran ?** (*a ké o-ra çié-Ran*)
(À quelle heure fermez-vous ?)

Vous avez sans doute l'habitude de vous servir vous-
même ou d'entrer uniquement pour regarder. Or, dans
certains magasins, les vendeurs vous proposent immédiatement leur aide. Acceptez leur aide sans vous
impatienter. Les vendeurs n'essaient pas de vous for-
cer à acheter. Au contraire, ils sont souvent très ser-
viables et aux petits soins pour leurs clients. Alors,
laissez-vous dorloter…

Bien sûr, si vous voulez seulement regarder, refusez
leur aide d'emblée.

Essayer des vêtements : le verbe probar

Probar (*pro-Bar*) (essayer ou goûter) est un verbe
qu'on utilise souvent quand on fait les magasins.

C'est un verbe irrégulier, dont le radical pro-
(pro) devient prue- (proué) à certaines personnes. Au présent, il se conjugue de la manière
suivante :

Conjugaison	Prononciation
yo pruebo	yo proué-Bo
tú pruebas	tou proué-Bas
él, ella, ello, uno, usted prueba	él, é-ya, é-yo, ou-no, ous-téd proué-Ba
nosotros probamos	no-so-tros pro-Ba-mos
vosotros probáis	bo-so-tros pro-Baïs
ellos, ellas, ustedes prueban	é-yos, é-yas, ous-té-dés proué-Ban

Maintenant que vous savez conjuguer le verbe **probar**,
n'hésitez pas à essayer tous les vêtements qui vous
plaisent lorsque vous faites les magasins. En Amérique
latine, les tailles ne sont pas les mêmes qu'en Europe
et il est important de pouvoir essayer.

Oser les couleurs

Dans les pays hispanophones, les couleurs sont
chaudes et éclatantes. Quand vous achetez des vêtements et même d'autres produits, vous devez
connaître les couleurs pour pouvoir choisir ce qui va
ensemble et ce qui correspond le mieux à votre personnalité. Les principales couleurs sont indiquées
dans le tableau 6.1.

Tableau 6.1 : Choisir vos couleurs

Couleur	Prononciation	Traduction
blanco	Blan-ko	blanc
negro	né-gro	noir
gris	gris	gris

Couleur	Prononciation	Traduction
rojo	<u>ro</u>-rho	rouge
azul	a-<u>çoul</u>	bleu
verde	<u>bér</u>-dé	vert
morado	mo-<u>ra</u>-do	violet
marrón	ma-<u>Ron</u>	marron
amarillo	a-ma-<u>ri</u>-yo	jaune
naranja	na-<u>ran</u>-rha	orange
rosa	<u>ro</u>-sa	rose
celeste	çé-<u>lés</u>-té	bleu ciel
claro	<u>kla</u>-ro	clair
oscuro	os-<u>kou</u>-ro	foncé

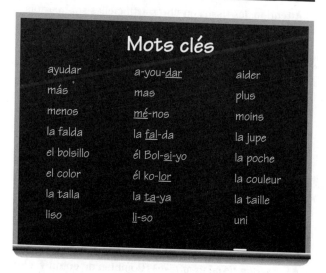

Mots clés

ayudar	a-you-<u>dar</u>	aider
más	mas	plus
menos	<u>mé</u>-nos	moins
la falda	la <u>fal</u>-da	la jupe
el bolsillo	él Bol-<u>si</u>-yo	la poche
el color	él ko-<u>lor</u>	la couleur
la talla	la <u>ta</u>-ya	la taille
liso	<u>li</u>-so	uni

Acheter une chemise ou un pantalon

Comme pour tous les vêtements, méfiez-vous des tailles, notamment en Amérique latine.

Une taille moyenne peut vous sembler petite. Quand il s'agit d'un vêtement qui doit être bien ajusté, comme une chemise ou un pantalon, demandez à essayer.

Mots clés

el pantalón	él pan-ta-<u>lon</u>	le pantalon
queda grande	<u>ké</u>-da <u>gran</u>-dé	il est trop grand
queda bien	<u>ké</u>-da bién	il me va bien
probar	pro-<u>Bar</u>	essayer

Vérifier le tissu

Attention, les tissus en fibres artificielles sont parfois vendus aussi cher que les tissus en fibres naturelles. Renseignez-vous sur la nature du tissu avant d'acheter un vêtement.

- ¿ **Este pantalón es de pura lana ?** (<u>és</u>-té pan-ta-<u>lon</u> és dé <u>pou</u>-ra <u>la</u>-na) (Ce pantalon est en pure laine ?)
- **No, es de lana con nylon.** (no és dé <u>la</u>-na kon ni-<u>lon</u>) (Non, il est en laine et en Nylon.)
- ¿ **La camisa es de puro algodón ?** (la ka-<u>mi</u>-sa és dé <u>pou</u>-ro al-go-<u>don</u>) (La chemise est en pur coton ?)
- **No, es de algodón con poliéster.** (no és dé al-go-<u>don</u> kon po-li<u>és</u>-tér) (Non, elle est en coton et en polyester.)
- ¿ **Cuánto algodón tiene esta tela ?** (kouan-to al-go-<u>don</u> tié-né <u>és</u>-ta <u>té</u>-la) (Combien de coton y a-t-il dans ce tissu ?)
- **Cuarenta por ciento.** (koua-<u>rén</u>-ta por çi<u>én</u>-to) (Quarante pour cent.)
- **Busco ropa de fibras naturales.** (<u>Bous</u>-ko <u>ro</u>-pa dé <u>fi</u>-bras na-tou-<u>ra</u>-lés) (Je cherche des vêtements en fibres naturelles.)

> ✔ **También tenemos.** (*tam-bién té-né-mos*)
> (Nous en avons aussi.)

Porter et emporter : le verbe llevar

En espagnol, « porter » et « emporter » se traduisent par le même verbe : **llevar**. Ce verbe s'utilise aussi pour décompter des objets (« tenir le compte de ») ou le temps qui passe. Bonne nouvelle : c'est un verbe régulier en **ar-** (*ar*). Le radical est **llev-** (*yéb*).

« Porter » se dit également **vestir** (*bés-tir*), verbe de la même famille que le substantif **vestido** (*bés-ti-do*), qui signifie « robe ».

Conjugaison	Prononciation
yo llevo	yo yé-bo
tú llevas	tou yé-bas
él, ella, ello, uno, usted lleva	el, é-ya, é-yo, ou-no, ous-téd yé-ba
nosotros llevamos	no-so-tros yé-ba-mos
vosotros lleváis	bo-so-tros yé-baïs
ellos, ellas, ustedes llevan	é-yos, é-yas, ous-té-dés yé-ban

Voici quelques exemples illustrant les multiples emplois du verbe llevar :

> ✔ **Me llevo esta camisa.** (*mé yé-bo és-ta ka-mi-sa*)
> (Je prends – littéralement, j'emporte – cette chemise.)
>
> ✔ **El vestido que llevas es bellísimo.** (*él bés-ti-do ké yé-bas és Bé-yi-si-mo*) (La robe que tu portes est très belle.)
>
> ✔ **Llevo un regalo para ti.** (*yé-bo oun ré-ga-lo pa-ra ti*) (J'ai un cadeau pour toi.)

✔ **Llevamos tres semanas sin vernos.** (yé-*ba*-mos trés sé-*ma*-nas sin *bér*-nos) (Cela fait trois semaines que nous ne nous sommes pas vus.)

✔ **El lleva cuenta de cuántos vestidos compras.** (él yé-ba kouén-ta dé kouan-tos bés-ti-dos kom-pras) (Il tient le compte des robes que tu achètes.)

✔ **La llevo.** (la yé-bo) (Je l'emporte.)

Mots clés

el probador	él pro-Ba-*dor*	la cabine d'essayage
apretado	a-pré-*ta*-do	serré
suelto	souél-to	ample
grande	*gran*-dé	grand
pequeño	pé-*ké*-gno	petit

Comparaisons : bien, mieux, le mieux, etc.

Quand vous faites des comparaisons, vous utilisez les comparatifs et les superlatifs. En espagnol, le comparatif « plus » se dit **más** (*mas*) et le superlatif « le plus » se dit **el más** (*él mas*). Prenons, par exemple, l'adjectif **grande** (*gran*-dé) (grand). **Más grande** (*mas gran*-dé) signifie « plus grand » et **el más grande** (*él mas gran*-dé), « le plus grand ».

En français, il suffit d'ajouter « plus » ou « le plus » devant l'adjectif. En espagnol, le comparatif et le superlatif se construisent de la même façon. Más ou el más précèdent l'adjectif.

Voici quelques exemples de comparatifs et de superlatifs :

- ✔ **grande** (*gran-dé*) (grand)
- ✔ **más grande** (*mas gran-dé*) (plus grand)
- ✔ **el más grande** (*él mas gran-dé*) (le plus grand)
- ✔ **pequeño** (*pé-ké-gno*) (petit)
- ✔ **más pequeño** (*mas pé-ké-gno*) (plus petit)
- ✔ **el más pequeño** (*él mas pé-ké-gno*) (le plus petit)
- ✔ **chico** (*tchi-ko*) (petit) [Amérique latine]
- ✔ **más chico** (*mas tchi-ko*) (plus petit)
- ✔ **el más chico** (*él mas tchi-ko*) (le plus petit)
- ✔ **apretado** (*a-pré-ta-do*) (serré)
- ✔ **más apretado** (*mas a-pré-ta-do*) (plus serré)
- ✔ **el más apretado** (*él mas a-pré-ta-do*) (le plus serré)
- ✔ **suelto** (*souél-to*) (ample)
- ✔ **más suelto** (*mas souél-to*) (plus ample)
- ✔ **el más suelto** (*él mas souél-to*) (le plus ample)
- ✔ **caro** (*ka-ro*) (cher)
- ✔ **más caro** (*mas ka-ro*) (plus cher)
- ✔ **el más caro** (*él mas ka-ro*) (le plus cher)
- ✔ **barato** (*Ba-ra-to*) (bon marché)
- ✔ **más barato** (*mas Ba-ra-to*) (meilleur marché)
- ✔ **el más barato** (*él mas Ba-ra-to*) (le meilleur marché)

 Comme en français, il existe des exceptions, dans lesquelles le comparatif ou le superlatif est compris dans l'adjectif. Dans ce cas, il est inutile d'ajouter más ou el más.

- ✔ **bueno** (*Boué-no*) (bon)
  mejor (*mé-rhor*) (meilleur)
  el mejor (*él mé-rhor*) (le meilleur)
- ✔ **malo** (*ma-lo*) (mauvais)
  peor (*pé-or*) (pire)
  el peor (*él pé-or*) (le pire)

Notez que ces adjectifs sont aussi des exceptions en français.

Le superlatif absolu :
suffixe -ísimo

Les hispanophones exagèrent toujours beaucoup. Mais ce qui peut nous sembler excessif est une façon courante de mettre l'accent sur quelque chose.

Quand en français on ajoute « extrêmement » ou « excessivement » devant un adjectif, en espagnol, on ajoute le suffixe **–ísimo** (*i-si-mo*) ou **–ísima** (*i-si-ma*) à l'adjectif. Par exemple, pour dire que quelque chose est extrêmement bon, **bueno** (*Boué-no*), les hispanophones utilisent le superlatif absolu : **buenísimo** (*Boué-ni-si-mo*).

Voici quelques exemples dans lesquels le superlatif absolu peut se traduire de différentes façons :

- **Esta ciudad es grandísima.** (*és-ta çiou-dad és gran-di-si-ma*) (Cette ville est extrêmement grande.)
- **Esta película es buenísima.** (*és-ta pé-li-kou-la és Boué-ni-si-ma*) (Ce film est génial.)
- **Los perros son fielísimos.** (*los pé-Ros son fié-li-si-mos*) (Les chiens sont particulièrement fidèles.)
- **Este hotel es malísimo.** (*és-té o-tél és ma-li-si-mo*) (Cet hôtel est vraiment nul.)
- **Este postre está dulcísimo.** (*és-té pos-tré és-ta doul-ci-si-mo*) (Ce dessert est dix fois trop sucré.)
- **Los colores son vivísimos.** (*los ko-lo-rés son bi-bi-si-mos*) (Les couleurs sont extrêmement vives.)
- **El bus andaba lentísimo.** (*el bous an-da-Ba lén-ti-si-mo*) (Le bus se traînait.)
- **La tienda cobraba carísimo.** (*la tién-da ko-Bra-Ba ka-ri-si-mo*) (Le magasin était excessivement cher.)

Acheter des objets de valeur

Vous souhaitez faire des achats dans les boutiques ou galeries des beaux quartiers ? Dans les grandes avenues de Madrid (*ma-drid*), en Espagne, et de Buenos Aires (*Boué-nos aï-rés*), en Argentine, vous découvrirez de magnifiques peintures, sculptures, articles en cuir et autres objets d'art. L'argenterie de Lima (*li-ma*), au Pérou, et de México (*mé-xi-co*), au Mexique, est également très réputée.

Amateurs d'objets d'art

Voici quelques phrases qui vous seront sans doute utiles lorsque vous flanerez dans les boutiques et les galeries :

- ✔ **Busco grabados de Rufino Tamayo.** (*Bous-ko gra-Ba-dos de Rou-fi-no ta-ma-yo*) (Je cherche des gravures de Rufino Tamayo.)
- ✔ **¿ Tiene broches de plata ?** (*tié-né Bro-tchés dé pla-ta*) (Vous avez des broches en argent ?)
- ✔ **¿ Cuánto cuesta el collar que tiene en el escaparate ?** (*kouan-to koués-ta él co-yar ké tié-né én él és-ka-pa-ra-té*) (Combien coûte le collier qui se trouve en vitrine ?)
- ✔ **¿ Y la pintura ?** (*i la pin-tou-ra*) (Et la peinture ?)
- ✔ **¿ Vende perlas del sur de Chile ?** (*bén-dé pér-las dél sour dé tchi-lé*) (Vous vendez des perles du sud du Chili ?)
- ✔ **¿ De quién es la escultura en el escaparate ?** (*dé kién és la és-koul-tou-ra én él és-ka-pa-ra-té*) (De qui est la sculpture [située] dans la vitrine ?)
- ✔ **¿ Lo envuelvo y mando a su domicilio ?** (*lo én-bouél-bo i man-do a sou do-mi-ci-lio*) (Je l'emballe et l'envoie à votre domicile ?)

Mots clés

él grabado	él gra-<u>Ba</u>-do	la gravure
la escultura	la és-koul-<u>tou</u>-ra	la sculpture
la pintura	la pin-<u>tou</u>-ra	la peinture
el collar	él co-<u>yar</u>	le collier
la perla	la <u>pér</u>-la	la perle

Faire des achats dans les marchés traditionnels

Vous trouverez des objets et des vêtements typiques du pays dans lequel vous vous trouvez dans les marchés traditionnels, dont la plupart sont ouverts tous les jours et toute l'année. Ne cherchez pas les étiquettes. Les prix ne sont pas fixés de manière définitive. Ici, tout se marchande.

Marchés traditionnels : une mine d'or

En déambulant dans les marchés traditionnels, notamment en Amérique latine, vous dénicherez de nombreux trésors, par exemple :

✔ **Un bol de madera tropical de Asunción, en Paraguay** (*oun bol de ma-<u>dé</u>-ra tro-pi-<u>kal</u> dé a-soun-ci<u>on</u> én pa-ra-<u>gouaï</u>*) (Un bol de bois tropical d'Asunción, au Paraguay)

✔ **Una alfombra de lana de Otavalo, en Ecuador** (*<u>ou</u>-na al-<u>fom</u>-Bra dé <u>la</u>-na dé o-ta-<u>ba</u>-lo én é-koua-<u>dor</u>*) (Un tapis en laine d'Otavalo, en Équateur)

✔ **Una tabla con jeroglíficos de la Isla de Pascua, en Chile** (*<u>ou</u>-na <u>ta</u>-Bla kon rhé-ro-<u>gli</u>-fi-kos dé la <u>is</u>-la dé <u>pas</u>-koua én <u>tchi</u>-lé*) (Une planche de hiéroglyphes de l'île de Pâques, au Chili)

✔ **Una chaqueta hecha de tela de lana tejida a mano y bordada con seda de Antigua, en Guatemala** (_ou_-na tcha-_ké_-ta _é_-tcha dé _té_-la dé _la_-na té-_rhi_-da a _ma_-no i Bor-_da_-da kon _sé_-da dé an-_ti_-goua én goua-té-_ma_-la) (Une veste en laine tissée à la main et brodée à la soie d'Antigua, au Guatemala)

Mots clés

la alfombra	la al-_fom_-Bra	le tapis
la bombilla	la Bom-_Bi_-ya	tube muni d'un filtre servant à boire le maté
la olla	la _o_-ya	le pot
el barro	él _Ba_-Ro	l'argile ; la terre cuite
rebajar	ré-Ba-_rhar_	baisser le prix
el dibujo	él di-_Bou_-rho	le dessin ; le motif

Marchander dans un marché traditionnel

Si vous avez l'intention de faire des achats dans un marché traditionnel, levez-vous de bonne heure. Beaucoup de marchands sont impatients de faire leur première vente de la journée. Le matin, ils ne veulent pas laisser partir le client tant que celui-ci n'a pas acheté quelque chose. Par conséquent, ils baissent plus volontiers le prix pour conclure la vente. Encore de bonnes affaires à faire !

Pour marchander, vous pouvez utiliser les expressions suivantes :

✔ **¿ Cuánto cuesta ?** (_kouan_-to kou_és_-ta) (Combien ça coûte ?)

✔ **¿ Cuánto vale ?** (_kouan_-to _ba_-lé) (Combien ça vaut ?)

☛ **¿ A cuánto ?** (*a kou<u>an</u>-to*) (À combien ?)

☛ **Es barato.** (*és Ba-<u>ra</u>-to*) (C'est bon marché.)

☛ **Es caro** (*és <u>ka</u>-ro*) (C'est cher.)

N'ayez pas peur d'en faire trop. Les expressions suivantes ajoutent du piquant au dialogue avec le marchand. Bien sûr, ne les utilisez pas systématiquement, surtout les deux dernières :

☛ **¡ Una ganga !** (<u>*ou*</u>*-na <u>gan</u>-ga*) (C'est une affaire !)

☛ **¡ Un robo !** (*oun <u>ro</u>-Bo*) (C'est du vol !)

☛ **¡ Un asalto !** (*oun a-<u>sal</u>-to*) (C'est un hold-up !)

Acheter des objets en cuivre, en verre, en terre cuite ou en bois

Les artisans d'Espagne et d'Amérique latine sont réputés pour le travail du cuivre, du verre, du bois, des textiles et de l'argile. Les collectionneurs apprécient cet artisanat pour sa beauté caractéristique des pays hispanophones.

Le cuivre est une matière noble et solide, mais elle pèse lourd. La terre cuite est cassable et le verre encore plus fragile. Cela dit, vous ne résisterez pas devant ces objets magnifiques. Si vous ne voulez pas prendre de risques, optez pour le bois et les objets peints, moins fragiles et moins lourds.

Voici quelques phrases dont vous pourrez vous inspirer au moment de faire vos achats :

☛ **¿ Dónde venden objetos de cobre ?**
(<u>*don*</u>*-dé <u>bén</u>-dén oB-<u>rhé</u>-tos dé <u>ko</u>-Bré*)
(Où vend-on des objets en cuivre ?)

☛ **Busco objetos de vidrio.** (<u>*Bous*</u>*-ko oB-<u>rhé</u>-tos dé <u>bi</u>-drio*) (Je cherche des objets en verre.)

☛ **Aquí tiene cerámica hecha a mano.**
(*a-<u>ki</u> tié-né çé-<u>ra</u>-mi-ka <u>é</u>-tcha a <u>ma</u>-no*)
(Voici de la céramique faite à la main.)

✔ **Estas ollas de barro sirven para cocinar.**
(_és_-tas _o_-yas dé <u>Ba</u>-Ro <u>sir</u>-bén <u>pa</u>-ra ko-ci-<u>nar</u>)
(Ces pots en terre cuite peuvent être utilisés
pour cuisiner.)

Mots clés

el cobre	él <u>ko</u>-Bré	le cuivre
el vidrio	él <u>bi</u>-drio	le verre
soplar	so-<u>plar</u>	souffler
hecho a mano	é-tcho a <u>ma</u>-no	fait à la main
la cerámica	la çé-<u>ra</u>-mi-ka	la céramique

Acheter des vêtements brodés

Qui a encore le temps de broder ? En Amérique latine,
vous trouverez des merveilles de broderie. Voici
quelques phrases qui vous aideront à faire votre
choix :

✔ **¡ Qué bordado más bonito !** (_ké Bor-<u>da</u>-do mas
Bo-<u>ni</u>-to_) Quelle belle broderie !)

✔ **¿ Tiene blusitas para niña ?** (_ti<u>é</u>-né Blou-<u>si</u>-tas <u>pa</u>-
ra <u>ni</u>-gna_) (Vous avez des chemisiers pour petite
fille ?)

✔ **¿ Tiene vestidos para mujer ?** (_ti<u>é</u>-né bés-<u>ti</u>-dos
<u>pa</u>-ra mou-<u>rhér</u>_) (Vous avez des robes pour
femme ?)

Acheter des paniers

Les paniers vous serviront aussi bien à porter tout ce
que vous acheterez au marché qu'à décorer votre maison. Ils se déclinent dans des tailles, des formes et des
matières très variées et sont généralement très résis-
tants. « Un panier » se dit **una cesta** (_<u>ou</u>-na <u>cés</u>-ta_) en

Espagne et **un canasto** (*oun ka-nas-to*) en Amérique latine.

- ✔ **Estas son cestas de mimbre.** (*és-tas son cés-tas dé mim-Bré*) (Ce sont des paniers en osier.)

- ✔ **¿ Tiene cestas para la ropa ?** (*tié-né cés-tas pa-ra la ro-pa*) (Vous avez des paniers à linge ?)

- ✔ **Estos canastos son de totora.** (*és-tos ka-nas-tos son dé to-to-ra*) (Ces paniers sont en jonc [des Andes].)

- ✔ **Estos canastos son de totomoztle.** (*és-tos ka-nas-tos son dé to-to-mos-tlé*) (Ces paniers sont en feuilles de maïs.) [Mexique]

Si vous avez besoin d'aide concernant les nombres et les prix, reportez-vous au chapitre 3.

Chapitre 7

Sortir et se détendre

●●●●●●●●●●●●●●●●●●●●●●●●●●●●●●●●●●●●●●

Dans ce chapitre :

▶ Aller au cinéma, au théâtre, au musée...

▶ Se promener, se divertir et faire du sport

●●●●●●●●●●●●●●●●●●●●●●●●●●●●●●●●●●●●●●

E*n Espagne comme en Amérique latine, vous ne risquez pas de vous ennuyer. Musique, cinéma, théâtre, danse, vous avez l'embarras du choix.*

Les hispanophones adorent sortir. La sortie d'un film, un concert, un opéra sont autant de prétextes pour se retrouver entre amis. La musique, la danse, les couleurs, et le talent artistique se combinent avec passion. Les Espagnols et les Latino-Américains sont des noctambules qui savent mordre la vie à pleines dents.

Faire la fête

Tout le monde aime sortir et faire la fête, chanter, danser... C'est une façon de s'exprimer quasiment universelle. Mais personne ne le fait aussi bien que les Espagnols et les Latino-Américains !

Danser et chanter sont des plaisirs salutaires, auxquels vous serez souvent invité :

✔ **¡ A bailar !** (*a Baï-lar*) (Dansez !)

✔ **¡ Esta es para ti !** (*és-ta és pa-ra ti*) (Celle-ci est pour toi !)

Les phrases suivantes vous permettront de fixer l'heure et l'endroit avant de sortir :

✔ **¿ A qué hora ?** (*a ké o̱-ra*) (À quelle heure ?)

✔ **¿ Cuándo empieza ?** (*kou̱an-do ém-pié̱-ça*)
(Quand est-ce que ça commence ?)

✔ **¿ Hasta qué hora ?** (*a̱s-ta ké o̱-ra*) (Jusqu'à quelle
heure ?)

En Espagne et en Amérique latine, les gens ne se
rencontrent pas uniquement dans des soirées
organisées, mais aussi dans les bars et les disco-
thèques, de façon beaucoup plus informelle.
C'est là que se créent des liens et se développent
de nouvelles relations.

Le verbe *invitar* : *inviter*

Quand on visite un pays hispanophone, on est toujours invité à de nombreuses fêtes. Peut-être souhaite-
rez-vous vous-même inviter des amis. Vous devez
donc connaître le verbe **invitar** (*in-bi-tar*), qui signifie «
inviter ». Bonne nouvelle, c'est un verbe régulier, en -
ar, dont le radical est **invit-** (*inbit*).

Conjugaison	Prononciation
yo invito	yo in-bi̱-to
tú invitas	tou in-bi̱-tas
él, ella, ello, uno, usted invita	él, é̱-ya, é̱-yo, o̱u-no, ous-té̱d in-bi̱-ta
nosotros invitamos	no-so̱-tros in-bi-ta̱-mos
vosotros invitáis	bo-so̱-tros in-bi-ta̱is
ellos, ellas, ustedes invitan	é̱-yos, é̱-yas, ous-té̱-dés in-bi̱-tan

Inspirez-vous des phrases suivantes pour lancer ou
accepter une invitation.

✔ **Te invito al teatro.** (*té in-bi̱-to al té-a̱-tro*) (Je t'invite au théâtre.)

✔ **Nos invitan al baile.** (*nos in-bi̱-tan al ba̱ï-lé*)
(Nous sommes invités au bal.)

- ✔ **Ellos invitan a todos a la fiesta.** (*é-yos in-bi-tan a to-dos a la fiés-ta*) (Ils invitent tout le monde à la fête.)
- ✔ **Tenemos que invitarlos a casa.** (*té-né-mos ké in-bi-tar-los a ka-sa*) (Il faut que nous les invitions à la maison.)
- ✔ **Voy a invitarlos al concierto.** (*boï a in-bi-tar-los al kon-ciér-to*) (Je vais les inviter au concert.)

Notez l'utilisation de **al** (*al*) (au) dans les expressions comme **al teatro** et **al baile**. Teatro et baile sont des mots masculins habituellement précédés de l'article el. Lorsque cet article est lui-même précédé de la préposition **a** (**a el**), les hispanophones utilisent la contraction **al**. Cette règle est la même qu'en français : « à le » est également remplacé par la forme contractée « au ».

Expressions idiomatiques

Une expression idiomatique, en espagnol **un modismo** (*oun mo-dis-mo*), est une expression qui ne peut pas être traduite littéralement. Une traduction mot à mot ne serait pas fidèle au sens. Par conséquent, une expression idiomatique doit être traduite par une expression de sens équivalent. Par exemple, ¿ **A**

qué viene ? (*a ké bié-né*), littéralement « À quoi ça vient ? », signifie « À quelle occasion ? », « En quel honneur ? » ou tout simplement « Pourquoi ? ».

Utilisée à propos d'une personne, l'expression ¿ **A qué viene ?** signifie « Que vient-il/elle faire là ? »

Le verbe bailar : danser

Bailar (*Baï-lar*) (danser) est un verbe régulier qui à lui seul donne déjà envie de danser. Au présent, ce verbe dont le radical est **bail-** (*Baïl*) se conjugue comme suit :

Conjugaison	Prononciation
yo bailo	yo <u>Ba</u>ï-lo
tú bailas	tou <u>Ba</u>ï-las
él, ella, ello, uno, usted baila	él, <u>é</u>-ya, <u>é</u>-yo, <u>ou</u>-no, ous-t<u>éd</u> <u>Ba</u>ï-la
nosotros bailamos	no-<u>so</u>-tros Baï-<u>la</u>-mos
vosotros bailáis	bo-<u>so</u>-tros Baï-<u>la</u>ïs
ellos, ellas, ustedes bailan	<u>é</u>-yos, <u>é</u>-yas, ous-t<u>é</u>-dés <u>Ba</u>ï-lan

Voici quelques phrases dansantes :

- **La salsa es un baile nuevo.** (la <u>sal</u>-sa és oun <u>Ba</u>ï-lé nou<u>é</u>-bo) (La salsa est une danse récente.)
- **La invito a bailar.** (la in-<u>bi</u>-to a Baï-<u>lar</u>) (Je vous [vouvoiement de politesse] invite à danser.)
- **Bailamos toda la noche.** (Baï-<u>la</u>-mos <u>to</u>-da la <u>no</u>-tché) (Nous avons dansé toute la nuit.)
- **Bailan muy bien.** (<u>Ba</u>ï-lan mouï bi<u>én</u>) (Ils dansent très bien.)
- **Bailó hasta la mañana.** (Baï-<u>lo</u> <u>as</u>-ta la ma-<u>gna</u>-na) (Il/Elle a dansé jusqu'au matin.)

Mots clés

el merengue	él mé-<u>rén</u>-gué	le mérengué (danse)
el gusto	el <u>gous</u>-to	le plaisir
el mesón	él mé-<u>son</u>	le restaurant ; l'auberge
la ocasión	la o-ka-si<u>on</u>	l'occasion
ir hasta el reventón	ir <u>as</u>-ta él ré-bén-<u>ton</u>	s'éclater
la salsa	la <u>sal</u>-sa	la salsa (danse)
el viaje	él <u>bia</u>-rhé	le voyage

Sortir entre amis

Les occasions de sortir sont nombreuses et diffèrent selon les endroits. Dans les villages et les petites villes, des festivités sont organisées lors d'occasions particulières. Un cirque ou une fête foraine anime parfois les villages. Dans les grandes villes, le choix est plus vaste : cinéma, théâtre, opéra, concerts, expositions, manifestations littéraires, etc. Dans certains quartiers, on retrouve le genre d'animations proposées dans les petites villes.

Lorsque vous êtes invité à sortir ou souhaitez inviter quelqu'un à sortir, inspirez-vous des phrases suivantes :

✔ **Voy a buscarte a las ocho.** (*boï a Bous-kar-té a las o-tcho*) (Je viens te chercher à huit heures.)

✔ **¡ Qué pena, hoy no puedo !** (*ké pé-na oï no poué-do*) (Quel dommage, aujourd'hui je ne peux pas.)

Mots clés

agotado	a-go-ta-do	épuisé (stock)
la broma	la Bro-ma	la blague
el campeón	él kam-pé-on	le champion
divertido	di-ber-ti-do	divertissant ; amusant
la gente	la rhén-té	les gens
la matiné	la ma-ti-né	la matinée (spectacle)
el payaso	él pa-ya-so	le clown

Au cinéma

Les films à la télé, c'est bien, mais au cinéma, c'est mieux !

L'Espagne et l'Amérique latine ont un cinéma riche et varié. Malheureusement, les films ne dépassent pas toujours les frontières. En Espagne, il y a toutefois une exception : Pedro Almodóvar, réalisateur entre autres de **Tacones lejanos** (*Talons aiguilles*) et **Hable con ella** (*Parle avec elle*), récompensé au Festival de Cannes en 1999. **Como agua para chocolate** (*Les Épices de la passion*) est l'un des films latino-américains les plus connus. Le réalisateur, Alfonso Arau, est mexicain.

Enfin, le film américain *La Maison aux esprits* est tiré d'un livre intitulé en espagnol ***La casa de los Espíritus***, de la romancière chilienne Isabel Allende.

Au théâtre

Des recherches ont montré qu'on mémorise mieux lorsque l'information est associée à une émotion. Or, le cinéma et le théâtre véhiculent toutes sortes d'émotions. Ce sont les endroits parfaits pour apprendre une nouvelle langue.

Mots clés

él/la comediante	él/la ko-mé-di<u>an</u>-té	le/la comédien(ne)
adelante	a-dé-<u>lan</u>-té	devant
bastante	Bas-<u>tan</u>-té	assez
el asiento une salle)	él a-si<u>én</u>-to	la place (dans
la fila	la <u>fi</u>-la	le rang
la obra	la <u>o</u>-Bra	l'œuvre ; la pièce (de théâtre)
pronto	<u>pron</u>-to	rapidement

Le verbe cantar : chanter

Cantar (*kan-tar*) (chanter) est un verbe régulier dont
le radical est **cant-** (*kant*). Au présent, il se conjugue
de la manière suivante :

Conjugaison	Prononciation
yo canto	yo <u>kan</u>-to
tú cantas	tou <u>kan</u>-tas
él, ella, ello, uno, usted canta	él, <u>é</u>-ya, <u>é</u>-yo, <u>ou</u>-no, ous-<u>téd</u> <u>kan</u>-ta
nosotros cantamos	no-<u>so</u>-tros kan-<u>ta</u>-mos
vosotros cantáis	bo-<u>so</u>-tros kan-<u>taïs</u>
ellos, ellas, ustedes cantan	<u>é</u>-yos, <u>é</u>-yas, ous-<u>té</u>-dés <u>kan</u>-tan

Mots clés

anunciar	a-noun-c<u>iar</u>	annoncer
cancelar	kan-cé-<u>lar</u>	annuler
juntos/juntas	<u>rhoun</u>-tos/<u>rhoun</u>-tas	ensemble
libre	<u>li</u>-Bré	libre : gratuit
es una pena	és <u>ou</u>-na <u>pé</u>-na	c'est dommage
el programa	él pro-<u>gra</u>-ma	le programme
repetir	ré-pé-<u>tir</u>	répéter

Mots clés

la biblioteca	la Bi-Blio-<u>te</u>-ka	la bibliothèque
el cantante	él kan-<u>tan</u>-té	la chanteur
el libro	él <u>li</u>-Bro	le livre
maravilloso	ma-ra-bi-<u>yo</u>-so	merveilleux
el espectáculo	él és-pék-<u>ta</u>-ku-lo	le spectacle
las piezas	las pi<u>é</u>-ças	les pièces (musicales)
la vida	la <u>bi</u>-da	la vie

Les Espagnols et les Latino-Américains vivent dehors. Les pays hispanophones sont des pays chauds où il serait dommage de rester enfermé. Alors, sortez et profitez du soleil !

Appréciez la beauté de la nature ou bien faites le plein d'énergie et allez faire du sport. Dans ce chapitre, vous allez découvrir tout ce que vous pouvez faire dehors, que vous soyez du genre actif ou contemplatif.

Deux façons d'être dehors

L'espagnol a deux moyens d'exprimer le fait d'être dehors :

- ✔ **al aire libre** (*al <u>aï</u>-ré <u>li</u>-Bré*) (à ciel ouvert). Cette expression, qui implique un sentiment d'ouverture et de liberté, invite à se promener dans les rues, les jardins ou les marchés.
- ✔ **a la intemperie** (*a la in-tém-<u>pé</u>-rié*) (exposé aux intempéries). Cette expression indique que vous ne serez pas à l'abri, quel que soit le temps. Elle comporte des risques.

Les phrases suivantes illustrent le contexte dans lequel s'utilise chacune de ces expressions :

- ✔ **Voy a nadar en una piscina al aire libre.** (*boï a na-dar én ou-na pis-ci-na al aï-ré li-Bré*) (Je vais nager dans une piscine à ciel ouvert.)
- ✔ **No dejes las plantas a la intemperie.** (*no dé-rhés las plan-tas a la in-tém-pé-rié*) (Ne laisse pas les plantes dehors [exposées aux intempéries].)

Se promener

Dans les pays hispanophones, **pasear** (*pa-sé-ar*) (se promener) est un véritable sport national. Voici quelques phrases typiquement espagnoles illustrant ce gout pour la promenade et les visites :

- ✔ **Salimos a dar un paseo** (*sa-li-mos a dar oun pa-sé-o*) (Nous sortons nous promener.)
- ✔ **Vivo en París, aquí estoy de visita.** (*bi-bo én pa-ris a-ki és-toï dé bi-si-ta*) (Je vis à Paris, je suis ici en visite.)

Découvrir la faune et la flore

Toute promenade dans la nature s'accompagne de la découverte de la faune et de la flore. Les phrases suivantes décrivent cette expérience.

- ✔ **Ayer paseamos en la alameda.** (*a-yér pa-sé-a-mos én la a-la-mé-da*) (Hier, nous nous sommes promenés dans la peupleraie [ou, plus généralement, la promenade bordée d'arbres].)
- ✔ **Hay robles y cipreses.** (*aï ro-Blés i çi-pré-sés*) (Il y a des chênes et des cyprès.)
- ✔ **Esa palmera da dátiles.** (*é-sa pal-mé-ra da da-ti-lés*) (Ce palmier donne des dattes.)
- ✔ **En Chile crecen muchos eucaliptos.** (*én tchi-lé cré-cén mou-tchos éou-ka-lip-tos*) (Au Chili, il pousse beaucoup d'eucalyptus.)

Connaître les animaux

Les animaux que vous verrez en Espagne n'auront rien d'extraordinaire pour vous. En revanche, au Mexique, en Amérique du Sud et en Amérique centrale, vous rencontrerez peut-être des espèces qui n'existent pas sous nos latitudes, comme **la llama** (*la ya-ma*) (le lama) et ses cousins, **el alpaca** (*él al-pa-ka*) (l'alpaga) et **el guanaco** (*él goua-na-ko*) (le guanaco). Ces créatures douces, de la même famille que le chameau, vivent essentiellement dans la région des Andes – de la Colombie au Chili. Si les **llamas** et les **alpacas** peuvent être apprivoisés, les **guanacos** vivent à l'état sauvage.

Les **pumas** (*pou-mas*) (pumas) sont les lions des montagnes d'Amérique du Sud. Ce sont des prédateurs carnivores très imposants. Admirez-les dans les zoos, mais ne vous en approchez pas en montagne. Vous pourrez également voir toutes sortes de serpents – venimeux ou non –, de singes, d'insectes et d'oiseaux dans les forêts tropicales de Bolivie, d'Argentine, du Paraguay, d'Équateur et du Mexique. Les îles Galapagos, en Équateur, sont célèbres pour leur faune unique, décrite pour la première fois par Charles Darwin, qui a élaboré sa théorie de l'évolution en observant les tortues et les oiseaux de l'archipel. Dans le sud du Mexique, les iguanes vivent en liberté – jusqu'à ce qu'ils se retrouvent dans une marmite. Enfin, les écureuils sont nombreux sur tout le continent.

Inspirez-vous des phrases suivantes pour parler des animaux que vous observez :

- ✔ **Durante el paseo, ví muchas ardillas.** (*dou-ran-té él pa-sé-o bi mou-tchas ar-di-yas*) (Pendant la promenade, j'ai vu beaucoup d'écureuils.)

- ✔ **Los tucanes viven en la selva.** (*los tou-ka-nés bi-bén én la sél-ba*) (Les toucans vivent dans la jungle.)

- ✔ **En la playa vemos gaviotas.** (*én la pla-ya bé-mos ga-bio-tas*) (Sur la plage on peut voir des mouettes.)

- ✔ **En el centro hay muchas palomas.** (*én él <u>cén</u>-tro aï <u>mou</u>-chas pa-<u>lo</u>-mas*) (Au centre-ville, il y a beaucoup de pigeons.)

- ✔ **Los gorriones se ven en las ciudades.** (*los go-<u>Rio</u>-nés sé bén én las çiou-<u>da</u>-dés*) (On peut voir les moineaux dans les villes.)

- ✔ **Voy a pasear los perros.** (*boï a pa-sé-<u>ar</u> los <u>pé</u>-Ros*) (Je vais promener les chiens.)

- ✔ **Van a una carrera de caballos.** (*ban a <u>ou</u>-na ka-<u>Ré</u>-ra dé ka-<u>Ba</u>-yos*) (Ils vont à une course de chevaux.)

- ✔ **La burra de mi vecino tuvo un burrito.** (*la <u>Bou</u>-Ra dé mi bé-ci-no <u>tou</u>-bo oun Bou-<u>Ri</u>-to*) (L'ânesse de mon voisin a eu un ânon.)

- ✔ **Hay mapaches en casi todo el continente americano.** (*aï ma-<u>pa</u>-tchés én <u>ka</u>-si <u>to</u>-do él kon-ti-<u>nén</u>-té a-mé-ri-<u>ka</u>-no*) (Il y a des ratons laveurs sur presque tout le continent américain.)

On pourrait écrire tout un livre sur les animaux, mais voici encore quelques exemples :

- ✔ **La colina estaba cubierta de mariposas.** (*la ko-<u>li</u>-na és-<u>ta</u>-Ba kou-Biér-ta dé ma-ri-<u>po</u>-sas*) (La colline était couverte de papillons.)

- ✔ **De paseo ví una manada de vacas.** (*dé pa-<u>sé</u>-o bi <u>ou</u>-na ma-<u>na</u>-da dé <u>ba</u>-kas*) (En me promenant, j'ai vu un troupeau de vaches.)

- ✔ **Andamos con unas cabras.** (*an-<u>da</u>-mos kon <u>ou</u>-nas <u>ka</u>-Bras*) (Nous avons marché avec des chèvres.)

- ✔ **Cuando llegué me persiguierons unas gansas.** (*kou<u>an</u>-do yé-<u>gué</u> mé pér-si-gui<u>é</u>-ron <u>ou</u>-nas gan-sas*) (Quand je suis arrivé, j'ai été poursuivi par des oies.)

- ✔ **Vimos patos silvestres en el lago.** (*<u>bi</u>-mos <u>pa</u>-tos sil-<u>bés</u>-trés én él <u>la</u>-go*) (Nous avons vu des canards sauvages sur le lac.)

- ✔ **¡ Una señora tenía un gato atado !** (*<u>ou</u>-na sé-<u>gno</u>-ra té-<u>nia</u> oun <u>ga</u>-to a-<u>ta</u>-do*) (Une dame tenait un chat en laisse !)

✔ **La niña llevaba una iguana.** (*la <u>ni</u>-gna yé-<u>ba</u>-Ba <u>ou</u>-na i-gou<u>a</u>-na*) (La [petite] fille portait un iguane.)

Mots clés

la burra	la <u>Bou</u>-Ra	l'ânesse
la iguana	la i-gou<u>a</u>-na	l'iguane (sorte de grand lézard vert à taches jaunes, originaire d'Amérique latine)
el mapache	él ma-<u>pa</u>-tché	le raton laveur
el puma	él <u>pou</u>-ma	le puma
el tucán	él tou-<u>kan</u>	le toucan (grand oiseau très coloré à grand bec)

Dire ce que vous aimez : le verbe gustar

Pour parler de ce que vous aimez, vous devez utiliser le verbe **gustar** (*gous-<u>tar</u>*) à la forme pronominale réfléchie. **Gustar** signifie littéralement « plaire ». **Me gusta la música** signifie donc « La musique me plaît » ou plus simplement « J'aime la musique. »

Conjugaison	*Prononciation*
me gusta	mé <u>gous</u>-ta
te gusta	té <u>gous</u>-ta
le gusta	lé <u>gous</u>-ta
nos gusta	nos <u>gous</u>-ta
os gusta	os <u>gous</u>-ta
les gusta	lés <u>gous</u>-ta

Les expressions suivantes vous aideront à indiquer ce que vous aimez :

- ✔ **Me gusta pasear.** (*mé gous-ta pa-sé-ar*) (J'aime me promener.)
- ✔ **Venga cuando guste.** (*ben-ga kouan-do gous-té*) (Venez quand il vous plaira.)
- ✔ **Le gusta jugar con el gato.** (*lé gous-ta rhou-gar kon él ga-to*) (Il aime jouer avec le chat.)
- ✔ **¿ Gustan comer algo ?** (*gous-tan ko-mér al-go*) (Aimeriez-vous manger quelque chose ?)

Faire une promenade : le verbe pasear

Le verbe **pasear** (*pa-sé-ar*) (se promener) est un verbe régulier, dont le radical est **pase-** (*pasé*). Au présent, il se conjugue de la manière suivante :

Conjugaison	*Prononciation*
yo paseo	yo pa-sé-o
tú paseas	tou pa-sé-as
él, ella, ello, uno, usted pasea	él, é-ya, é-yo, ou-no, ous-téd pa-sé-a
nosotros paseamos	no-so-tros pa-sé-a-mos
vosotros paseáis	bo-so-tros pa-sé-aïs
ellos, ellas, ustedes pasean	é-yos, é-yas, ous-té-dés pa-sé-an

Promenez-vous au fil des phrases suivantes :

- ✔ **La abuela pasea todas las tardes.** (*la a-Boué-la pa-sé-a to-das las tar-dés*) (La grand-mère se promène tous les après-midi.)
- ✔ **¿ Quieres pasear conmigo ?** (*kié-rés pa-sé-ar kon-mi-go*) (Veux-tu te promener avec moi ?)

Mots clés

el caballo	él ka-<u>Ba</u>-yo	le cheval
encantar	én-kan-<u>tar</u>	enchanter ; adorer
gozar	go-<u>çar</u>	avoir du plaisir à
la mancha	la <u>man</u>-tcha	la tache
preparar	pré-pa-<u>rar</u>	préparer
propio	<u>pro</u>-pio	propre
el torneo	él tor-<u>né</u>-o	le tournoi
la yegua	la <u>yé</u>-goua	la jument

Pratiquer des jeux de ballon

Les sports collectifs se déroulent souvent autour d'un ballon. Et quand on parle de ballon ou de balle, il faut remonter au caoutchouc.

Le caoutchouc provient d'un arbre appelé hévéa ou arbre à gomme, présent sur le continent américain. Vous connaissez la gomme à mâcher, désignée plus communément sous le nom chewing-gum, et les gommes qui servent à effacer. Le mot « gomme » vient de **goma** (<u>go</u>-ma), qui signifie « caoutchouc », tout comme **caucho** (<u>ka</u>ou-tcho) et **hule** (<u>ou</u>-lé), terme utilisé au Mexique.

Qu'est-ce que le caoutchouc vient faire dans tout cela ? Les ballons sont fabriqués à partir de caoutchouc et c'est pour cette raison qu'ils rebondissent. Vous vous voyez jouer au tennis avec une balle qui ne rebondit pas ? Le caoutchouc a donné naissance à de nombreux jeux de balle ou de ballon.

Le jeu de ballon le plus populaire : le football

Le **fútbol** (*fout-bol*) (football) est très populaire, aussi bien en Espagne qu'en Amérique latine. Il fait l'objet de discussions houleuses dans les bars, les tavernes et les salons. Les stars du **fútbol** sont des héros nationaux et rien n'alimente autant les conversations des hispanophones que ce sport.

Mots clés

el portero	él por-_té_-ro	le gardien de but
el campo	él _kam_-po	le terrain [de jeu]
la defensa	la dé-_fén_-sa	la défense
los delanteros	los dé-lan-_té_-ros	les avants
divertir	di-bér-_tir_	divertir
el equipo	él é-_ki_-po	l'équipe
el estadio	él és-_ta_-dio	le stade
ganar	ga-_nar_	gagner
el gol	él gol	le but
el hincha	él _in_-tcha	le supporter
el jugador	él rhou-ga-_dor_	le joueur
el rol	él rol	le rôle
el sobrino	él so-_Bri_-no	le neveu

Les stars du tennis

Beaucoup d'Espagnols et de Latino-Américains figurent parmi les stars du tennis professionnel, notamment l'Espagnole Arantxa Sánchez et le Chilien Marcelo Rios.

Mots clés

el juego	él rhou<u>é</u>-go	le jeu
la pista	la <u>pis</u>-ta	le court
la raqueta	la ra-<u>ké</u>-ta	la raquette

Le verbe jugar : jouer

Jugar (rhou-gar) est un verbe légèrement irrégulier mais très utile dans le cadre des loisirs. Il mérite donc quelques efforts préalables.

Conjugaison	Prononciation
yo juego	yo rhou<u>é</u>-go
tú juegas	tou rhou<u>é</u>-gas
él, ella, ello, uno, usted juega	él, <u>é</u>-ya, <u>é</u>-yo, <u>ou</u>-no, ous-<u>téd</u> rhou<u>é</u>-ga
nosotros jugamos	no-<u>so</u>-tros rhou-<u>ga</u>-mos
vosotros jugáis	bo-<u>so</u>-tros rhou-<u>ga</u>ïs
ellos, ellas, ustedes juegan	<u>é</u>-yos, <u>é</u>-yas, ous-<u>té</u>-dés rhou<u>é</u>-gan

Entraînez-vous à parler sport avec les phrases suivantes :

➤ **¿ Jugamos béisbol hoy ?** (*rhou-<u>ga</u>-mos <u>Bé</u>ïs-bol oï*) (On joue au base-ball aujourd'hui ?)

➤ **Juega mejor que hace un mes.** (*rhoué-ga mé-<u>rhor</u> ké a-cé oun <u>més</u>*) (Il joue mieux qu'il y a un mois.)

Le verbe nadar : nager

De l'eau, tellement d'eau que vous avez envie de plonger la tête la première ! Mais avant, il serait prudent de savoir conjuguer le verbe **nadar** (*na-<u>dar</u>*) (nager). Facile ! C'est un verbe régulier, dont le radical est **nad-** (*nad*).

Conjugaison	*Prononciation*
yo nado	yo <u>na</u>-do
tú nadas	tou <u>na</u>-das
él, ella, ello, uno, usted nada	él, <u>é</u>-ya, <u>é</u>-yo, <u>ou</u>-no, ous-<u>téd</u> na-da
nosotros nadamos	no-<u>so</u>-tros na-<u>da</u>-mos
vosotros nadáis	bo-<u>so</u>-tros na-<u>da</u>ïs
ellos, ellas, ustedes nadan	<u>é</u>-yos, <u>é</u>-yas, ous-<u>té</u>-dés <u>na</u>-dan

Bien. Avant de vous jeter à l'eau, faites quelques brasses linguistiques en utilisant le verbe **nadar**.

- ✔ **Carlos nada como un pez.** (*<u>kar</u>-los <u>na</u>-da <u>ko</u>-mo oun péç*) (Carlos nage comme un poisson.)
- ✔ **Yo no sé nadar.** (*yo no sé na-<u>dar</u>*) (Je ne sais pas nager.)

Chapitre 8

¿ Dónde está ? (Où est-ce ?) : demander son chemin

*V*ous êtes prêt à partir et à visiter tout ce qu'il y a à visiter. Alors, allons y ! Mais où ? Voilà une question fondamentale qui, en espagnol, se dit ¿ dónde ? (don-dé) (où).

¿ Dónde ? La question à se poser avant de partir

Vous devez être capable de répondre à la question suivante :

¿ A dónde ir ? (*a _don_-dé ir*) (Où aller ?)

C'est une question essentielle à laquelle vous devez pouvoir répondre si vous voulez voir du pays et faire de nouvelles expériences.

C'est une question relative au mouvement et au déplacement, que vous vous posez lorsque vous cherchez un endroit inconnu, où la curiosité vous pousse.

C'est aussi la question qui incite les explorateurs à conquérir la planète et à percer ses mystéres. Par exemple, la question « Où aller pour trouver du piment ? » a conduit les marins à traverser les océans jusqu'à ce qu'ils découvrent le continent américain. Ensuite, la question « D'où viennent ces hommes ? » a permis de créer des liens entre les nations.

Évidemment, il ne s'agit parfois que d'une question triviale, dont la réponse vous donne la possibilité de trouver ce que vous cherchez et d'aller dans des endroits tout à fait ordinaires mais extrêmemement utiles. Au fil des sections suivantes, vous allez donc apprendre à demander « Où ? » dans les pays hispanophones.

¿ Adónde vamos ? Où allons-nous ?

Dans le chapitre 3, vous avez découvert le verbe espagnol le plus souvent associé à la question ¿ **Dónde ?** (*don-dé*) (où). Quand on cherche une direction, c'est qu'on est en mouvement. Or, le mouvement est considéré comme un état non permanent. ¿ **Dónde ?** est donc associé à **estar** (*és-tar*), le verbe qui signifie « être » dans un état temporaire.

Voici quelques phrases illustrant l'emploi de ¿ **dónde ?** et d'**estar** :

- ✔ ¿ **Dónde está el museo de Larco ?** (*don-dé és-ta él mou-sé-o dé lar-ko*) (Où est le musée Larco ?)
- ✔ ¿ **Dónde estamos ahora ?** (*don-dé és-ta-mos a-o-ra*) (Où sommes-nous maintenant ?)
- ✔ ¿ **Dónde está el Hotel del Camino ?** (*don-dé és-ta él o-tél dél ka-mi-no*) (Où est l'Hotel del Camino ?)
- ✔ ¿ **Dónde estuviste anoche ?** (*don-dé és-tou-bis-té a-no-tché*) (Où étais-tu cette nuit ?)

Vous voulez tout savoir ? Inspirez-vous de la phrase suivante :

¡ Quiero saber el cómo, el cuándo y el dónde !
(*kié-ro sa-Bér él ko-mo él kouan-do i él don-dé*) (Je
veux savoir comment, quand et où !)

Pour montrer que vous êtes déterminé à trouver cet
endroit, vous pouvez ajouter :

¡ Dondequiera que esté, lo encontraremos !
(*don-dé-kié-ra ké és-té lo én-kon-tra-ré-mos*) (Où
que ce soit, nous le trouverons !)

Se situer dans l'espace

Vous avez six moyens de qualifier l'espace qui vous
entoure :

- ✔ **delante** (*dé-lan-té*) (devant)
  - • **Paula camina delante de Clara** (*paou-la ka-mi-na dé-lan-té dé kla-ra*) (Paula marche devant Clara.)
- ✔ **detrás** (*dé-tras*) (derrière)
  - • **Clara va detrás de Paula.** (*kla-ra ba dé-tras dé paou-la*) (Clara se trouve derrière Paula.)
- ✔ **a la derecha** (*a la dé-ré-tcha*) (à droite)
  - • **Felipe está a la derecha de Paula.** (*fé-li-pé és-ta a la dé-ré-tcha dé paou-la*) (Felipe est à droite de Paula.)
- ✔ **a la izquierda** (*a la iç-kiér-da*) (à gauche)
  - • **José se pone a la izquierda de Clara.** (*rho-sé sé po-né a la iç-kiér-da dé kla-ra*) (José se met à gauche de Clara.)
- ✔ **debajo** (*dé-Ba-rho*) (sous ; au-dessous)
  - • **Hay hierba debajo de los pies de José.** (*aï yér-Ba dé-Ba-rho dé los piés de rho-sé*) (Il y a de l'herbe sous les pieds de José.)
- ✔ **encima** (*én-ci-ma*) (sur ; au-dessus)
  - • **La rama está encima de la cabeza de Paula.** (*la ra-ma és-ta én-ci-ma dé la ka-Bé-ça dé paou-la*) (La branche est au-dessus de la tête de Paula.)

Avant d'aller plus loin, vous devez faire la distinction entre deux mots qui se ressemblent : **derecho** (*dé-ré-tcho*) (droit) et **derecha** (*dé-ré-tcha*) (droite).

Comme en français, tout se joue à une lettre près et, pourtant, le sens n'est pas du tout le même !

- ✔ **derecho** (*dé-ré-tcho*) (droit ; tout droit)
  - • **Siga derecho por esta calle.** (*si-ga dé-ré-tcho por és-ta ka-yé*) (Continuez tout droit par cette rue.)
- ✔ **derecha** (*dé-ré-tcha*) (droite)
  - • **En la esquina, gire a la derecha.** (*én la és-ki-na rhi-ré a la dé-ré-tcha*) (Au coin, tournez à droite.)

Les relations dans l'espace

Il existe des termes qui permettent de situer les choses ou les individus les uns par rapport aux autres. Employez-les pour décrire les relations dans l'espace.

- ✔ **al lado de** (*al la-do dé*) (à côté de)
- ✔ **frente a** (*frén-té a*) (en face de)
- ✔ **dentro de** (*dén-tro dé*) (dans)
- ✔ **adentro** (*a-dén-tro*) (dedans ; à l'intérieur)
- ✔ **fuera** (*foué-ra*) (dehors)
- ✔ **afuera** (*a-foué-ra*) (en dehors ; à l'extérieur)
- ✔ **bajo** (*Ba-rho*) (sous)
- ✔ **debajo** (*dé-Ba-rho*) (au-dessous)
- ✔ **arriba** (*a-Ri-Ba*) (au-dessus)

Entraînez-vous à utiliser ces termes qui expriment les relations dans l'espace avec les phrases suivantes :

- ✔ **La pastelería está al lado del banco.** (*la pas-té-lé-ria és-ta al la-do dél Ban-ko*) (La pâtisserie est à côté de la banque.)
- ✔ **Frente al banco hay una zapatería.** (*frén-té al Ban-ko aï ou-na ça-pa-té-ria*) (En face de la banque, il y a un magasin de chaussures.)

✔ **Las mesas del café están afuera.** (*las mé-sas dél ka-fé és-tan a-foué-ra*) (Les tables du café sont à l'extérieur.)

✔ **Cuando llueve ponen las mesas adentro.** (*kouan-do youé-bé po-nén las mé-sas a-dén-tro*) (Quand il pleut, ils mettent les tables à l'intérieur.)

✔ **Arriba hay cielo despejado.** (*a-Ri-ba aï çié-lo dés-pé-rha-do*) (Au-dessus, le ciel est dégagé.)

✔ **Hay agua bajo los pies de Carlos.** (*aï a-goua Ba-rho los piés dé kar-los*) (Il y a de l'eau sous les pieds de Carlos.)

✔ **Debajo de la calle corre el metro.** (*dé-Ba-rho dé la ka-yé ko-Ré él mé-tro*) (Le métro passe au-dessous de la rue.)

✔ **Este ascensor va arriba** (*és-té as-cén-sor ba a-Ri-Ba*) (Cet ascenseur monte [au-dessus].)

✔ **Hay un gato dentro de la caja.** (*aï oun ga-to dén-tro dé la ka-rha*) (Il y a un chat dans la caisse.)

Mots clés

encontrar	én-kon-trar	trouver
la rama	la ra-ma	la branche
la hierba	la yer-Ba	l'herbe
la esquina	la és-ki-na	le coin
despejado	dés-pé-rha-do	dégagé
correr	ko-Rér	courir
la caja	la ka-rha	la caisse
el océano	él o-cé-a-no	l'océan

S'orienter avec un plan

Les plans sont indispensables pour s'orienter. Dès que vous arrivez dans une ville nouvelle, demandez un plan.

Vous pourrez trouver ce que vous cherchez beaucoup plus facilement. Et si vous demandez votre chemin, la personne qui vous renseignera pourra vous indiquer un itinéraire sur votre plan.

Certains points de repère sont utilisés dans le monde entier. Il s'agit des quatre points cardinaux : le nord, le sud, l'est et l'ouest. Voici leur nom en espagnol :

- ✔ **el norte** (*él nor-té*) (le nord)
- ✔ **el sur** (*él sour*) (le sud)
- ✔ **el este** (*él és-té*) (l'est)
- ✔ **el oeste** (*él o-és-té*) (l'ouest)
- ✔ **el oriente** (*él o-rién-té*) (l'orient)
- ✔ **el occidente** (*él ok-ci-dén-té*) (l'occident)

Inspirez-vous des phrases suivantes lorsque vous vous orientez à l'aide d'un plan :

- ✔ **La avenida Venus está al este de aquí.** (*la a-bé-ni-da bé-nous és-ta al és-té dé a-ki*) (L'avenue Vénus est à l'est d'ici.)
- ✔ **Al oeste se encuentra la calle Las Violetas.** (*al o-és-té sé én-kouén-tra la ka-yé las bio-lé-tas*) (À l'ouest se trouve la rue Las Violetas.)
- ✔ **El parque está al norte.** (*él par-ké és-ta al nor-té*) (Le parc est au nord.)
- ✔ **Al sur se va hacia el río.** (*al sour sé ba a-cia el rio*) (Au sud, on va vers le fleuve.)
- ✔ **El oriente es donde el sol se levanta.** (*él o-rién-té és don-dé él sol sé lé-ban-ta*) (L'orient est du côté où le soleil se lève.)
- ✔ **El occidente es donde el sol se pone.** (*él oc-ci-dén-té és don-dé él sol sé po-né*) (L'occident est le côté où le soleil se couche.)
- ✔ **Jordania está en el Oriente Próximo.** (*rhor-da-nia és-ta én él o-rién-té pro-xi-mo*) (La Jordanie est au Proche-Orient.)
- ✔ **China está en el Extremo Oriente.** (*tchi-na és-ta én él ex-tré-mo o-rién-té*) (La Chine est en Extrême-Orient.)

✔ **Francia es un país del Occidente.** (*fran-cia és oun país dél ok-ci-dén-té*) (La France est un pays d'Occident.)

✔ **Europa está al oriente del océano Atlántico.** (*éou-ro-pa és-ta al o-rién-té dél o-cé-a-no a-tlan-ti-ko*) (L'Europe est à l'est de l'océan Atlantique.)

Les termes suivants vous seront utiles pour demander ou indiquer une direction :

✔ **la calle** (*la ka-yé*) (la rue)

✔ **la avenida** (*la a-bé-ni-da*) (l'avenue)

✔ **el bulevar** (*él Bou-lé-bar*) (le boulevard)

✔ **el río** (*él rio*) (la rivère ; le fleuve)

✔ **la plaza** (*la pla-ça*) (la place)

✔ **el parque** (*él par-ké*) (le parc)

✔ **el jardín** (*él rhar-din*) (le jardin)

✔ **el barrio** (*él Ba-Rio*) (le quartier)

✔ **izquierda** (*iç-kiér-da*) (gauche)

✔ **derecha** (*dé-ré-tcha*) (droite)

✔ **derecho** (*dé-ré-tcho*) (droit)

✔ **girar** (*rhi-rar*) (tourner)

✔ **seguir** (*sé-guir*) (continuer ; suivre)

✔ **la mazana de casas** (*la man-ça-na dé ka-sas*) (le pâté de maisons) [Espagne]

✔ **la cuadra** (*la koua-dra*) (le pâté de maisons) [Amérique latine]

Demander son chemin est toujours problématique. Les personnes qui répondent à vos questions connaissent la ville et la réponse leur paraît toujours évidente ! Pour bien vous préparer, entraînez-vous à l'aide des phrases suivantes :

✔ **En el barrio hay una avenida ancha.** (*én él Ba-Rio aï ou-na a-bé-ni-da an-tcha*) (Dans le quartier, il y a une large avenue.)

✔ **Nuestra calle va del norte al sur.** (*noués-tra ka-yé ba dél nor-té al sour*) (Notre rue va du nord au sud.)

- **Mi tía vive en un callejón sin salida.** (*mi tía bi-bé én oun ka-yé-rhon sin sa-li-da*) (Ma tante habite dans une impasse.)
- **Junto al río hay un gran parque.** (*rhoun-to al río aï oun gran par-ké*) (À côté du fleuve, il y a un grand parc.)
- **La plaza está en el centro de la ciudad.** (*la pla-ça és-ta én él cén-tro dé la çiou-dad*) (La place est au centre de la ville.)
- **En el jardín hay juegos para niños.** (*én él rhar-din aï rhoué-gos pa-ra ni-gnos*) (Dans le jardin, il y a des jeux pour les enfants.)
- **El Zócalo de México es una plaza enorme.** (*él so-ka-lo dé mé-rhi-ko és ou-na pla-ça é-nor-mé*) (Le Zócalo de Mexico est une place immense.)
- **Esa avenida se llama La Alameda.** (*é-sa a-bé-ni-da sé ya-ma la a-la-mé-da*) (Cette avenue s'appelle La Alameda [la promenade bordée d'arbres].)

Le verbe subir : monter

Le tableau suivant indique la conjugaison au présent du verbe **subir** (*sou-Bir*) (monter), dont le radical est **sub-** (*souB*). Attention, faux ami ! Ne confondez pas ce verbe avec son homonyme français : subir, qui se dit **padecer** (*pa-dé-cér*) en espagnol.

Conjugaison	Prononciation
yo subo	yo sou-Bo
tú subes	tou sou-Bés
él, ella, ello, uno, usted sube	él, é-ya, é-yo, ou-no, ous-téd sou-Bé
nosotros subimos	no-so-tros sou-Bi-mos
vosotros subís	bo-so-tros sou-Bis
ellos, ellas, ustedes suben	é-yos, é-yas, ous-té-dés sou-Bén

Entraînez-vous à employer les verbes espagnols jusqu'à ce que leur conjugaison devienne une seconde nature. En attendant, inspirez-vous des phrases suivantes :

- ✔ **Suben por la escalera.** (_sou_-Bén por la és-ka-_lé_-ra) (Ils montent par l'escalier.)
- ✔ **Subes por esa calle, a la izquierda.** (_sou_-Bés por _é_-sa _ka_-yé a la iç-_kiér_-da) (Tu montes par cette rue, à gauche.)
- ✔ **Nosotros vamos a subir con ustedes.** (no-_so_-tros _ba_-mos a sou-_Bir_ kon ous-_té_-dés) (Nous allons monter avec vous.)
- ✔ **El ascensor de la derecha sube.** (él as-cén-_sor_ dé la dé-_ré_-tcha _sou_-Bé) (L'ascenseur de droite monte.)
- ✔ **Yo subo allí todos los días.** (yo _sou_-Bo a-_yi_ _to_-dos los _dias_) (Je monte là tous les jours.)

Le verbe bajar : descendre

Ce qui monte finit toujours par redescendre, n'est-ce pas ? Le verbe **bajar** (_Ba-rhar_) signifie « descendre ».

C'est un verbe régulier en **-ar**, dont le radical est **baj-** (_Barh_). Au présent, il se conjugue de la manière suivante :

Conjugaison	Prononciation
yo bajo	yo _Ba_-rho
tú bajas	tou _Ba_-rhas
él, ella, ello, uno, usted baja	él, _é_-ya, _é_-yo, _ou_-no, ous-_téd_ _Ba_-rhas
nosotros bajamos	no-_so_-tros Ba-_rha_-mos
vosotros bajáis	bo-_so_-tros Ba-_rhaïs_
ellos, ellas, ustedes bajan	_é_-yos, _é_-yas, ous-_té_-dés _Ba_-rhan

Faites une descente sur le verbe **bajar** et entraînez-vous !

- **Ella baja por la escalera.** (*é-ya Ba-rha por la és-ka-lé-ra*) (Elle descend par l'escalier.)
- **Bajamos por esta calle.** (*Ba-rha-mos por és-ta ka-yé*) (Nous descendons la rue.)
- **Tú bajas del coche con el perro.** (*tou Ba-rhas dél ko-tché kon él pé-Ro*) (Tu descends de la voiture avec le chien.)
- **Dicen que ya van a bajar.** (*di-cén ké ya ban a Ba-rhar*) (Ils disent qu'ils vont descendre.)
- **Yo bajo de noche.** (*yo Ba-rho dé no-tché*) (Je descends de nuit.)

Ici et là ; nulle part et partout

En espagnol, il existe deux façons de dire ici et là. Mais, comme les Français, les hispanophones ne font pas une distinction très marquée entre ces deux notions.

La distinction entre ici et là étant peu respectée, vous pouvez choisir l'adverbe que vous voulez, à partir du moment où vous l'employez dans une phrase impliquant la notion d'espace.

- **aquí** (*a-ki*) (ici)
- **acá** (*a-ka*) (ici)
- **allí** (*a-yi*) (là)
- **allá** (*a-ya*) (là)

Les deux éléments de chaque paire d'adverbes sont parfaitement synonymes, comme en témoignent les phrases suivantes :

- **Allí, en la esquina, está el banco.** (*a-yi én la és-ki-na és-ta él Ban-ko*) (Là, au coin, se trouve la banque.)
- **Allá van los turistas.** (*a-ya ban los tou-ris-tas*) (C'est là que vont les touristes.)
- **Aquí se come muy bien.** (*a-ki sé ko-mé mouï Bién*) (Ici on mange très bien.)

✔ **Acá está el museo.** (*a-ka és-ta él mou-sé-o*) (Le musée est ici.)

✔ **¡ Ven acá !** (*bén a-ka*) (Viens ici !)

✔ **¡ Corre allá !** (*ko-Ré a-ya*) (Cours là-bas !)

Parfois, on parle de nulle part et de partout à la fois. Pour exprimer l'un ou l'autre de ces deux concepts en espagnol, utilisez les locutions suivantes :

✔ **en todas partes** (*én to-das par-tés*) (partout)

✔ **en ninguna parte** (*én nin-gou-na par-té*) (nulle part)

Entraînez-vous à utiliser ces locutions avec les phrases suivantes :

✔ **En todas partes hay gente simpática.** (*én to-das par-tés aï rhén-té sim-pa-ti-ka*) (Il y a des gens sympathiques partout.)

✔ **Busqué mis llaves por todas partes.** (*Bous-ké mis ya-bés por to-das par-tés*) (J'ai cherché mes clés partout.)

✔ **En ninguna parte encuentro mis llaves.** (*én nin-gou-na par-té én-kouén-tro mis ya-bés*) (Je ne trouve mes clés nulle part.)

✔ **Mira por todas partes cuando busca algo.** (*mi-ra por to-das par-tés kouan-do Bous-ka al-go*) (Il/Elle regarde partout quand il/elle cherche quelque chose.)

Cerca et lejos : c'est encore loin ?

Les termes **cerca** (*cér-ka*) (près) et **lejos** (*lé-rhos*) (loin) permettent d'évaluer une distance et les efforts nécessaires pour atteindre un endroit déterminé.

Mots clés

la calle	la <u>ka</u>-yé	la rue
la avenida	la a-bé-<u>ni</u>-da	l'avenue
el bulevar	él Bou-lé-<u>bar</u>	le boulevard
el barrio	él <u>Ba</u>-Rio	le quartier
girar	rhi-<u>rar</u>	tourner
seguir	sé-<u>guir</u>	continuer ; suivre
el metro	él <u>mé</u>-tro	le métro

Chapitre 9

Arriver à l'hôtel

• •

Dans ce chapitre :

▶ Arriver à l'hôtel

▶ Employer les verbes **despertar** et **dormir**

▶ Découvrir les pronoms possessifs

• •

*L'*Espagne et l'Amérique latine bénéficient d'un climat chaud qui rend les hôtels très agréables. Ceux-ci offrent de nombreux espaces en plein air (balcon, cour intérieure, patio) agrémentés de fleurs, de plantes, d'arbres et parfois d'oiseaux superbes. Ce chapitre a pour but de faciliter votre arrivée à l'hôtel dans un pays hispanophone.

Demander à voir l'hôtel avant de réserver une chambre

Lorsque vous arrivez dans un hôtel, vous êtes probablement fatigué par le voyage. Mais, malgré la fatigue, prenez le temps de visiter l'hôtel avant de réserver une chambre. Le niveau de confort n'est pas forcément celui auquel vous vous attendez, surtout si vous vous trouvez dans un hôtel de moins de quatre étoiles. Vous paierez beaucoup moins cher dans ce genre d'établissement que dans les hôtels pour touristes avec réservation à l'avance, mais prenez quelques précautions.

Soyez attentif aux détails suivants :

- ✔ **L'intérieur des placards**
- ✔ **La salle de bains** : y a-t-il vraiment de l'eau chaude et la chasse d'eau fonctionne-t-elle correctement ?
- ✔ **Les fenêtres** : de quel côté donnent-elles ?

Si vous avez une voiture, vérifiez que vous avez un endroit pour la garer. Certains hôtels disposent d'un voiturier, qui s'occupe du véhicule des clients dès leur arrivée à l'hôtel.

Mots clés

el aparcamiento	él a-par-ka-mién-to	le parking
el portal	el por-tal	le portail
abrir	a-Brir	ouvrir
esperar	és-pé-rar	attendre
fuera	foué-ra	dehors

Avant de réserver une chambre, vous devez connaître les expressions suivantes :

- ✔ **con baño** (*kon Ba-gno*) (avec salle de bains)
- ✔ **con agua caliente** (*kon a-goua ka-lién-té*) (avec eau chaude)
- ✔ **sólo con agua fría** (*so-lo kon a-goua fria*) (avec eau froide uniquement)
- ✔ **a la calle** (*a la ka-yé*) (sur rue)
- ✔ **al interior** (*al in-té-rior*) (sur cour)
- ✔ **la piscina** (*la pis-ci-na*) ; **la alberca** (*la al-Bér-ka*) [Mexique] (la piscine)

L'espagnol a parfois deux mots pour dire la même chose. Par exemple, **la habitación** (*la a-Bi-ta-cion*) et **el cuarto** (*él kouar-to*) signifient tous deux « la chambre ». Dans les exemples qui suivent, nous utilisons donc l'un et l'autre indifféremment. Lorsqu'un terme est spécifique d'un pays, celui-ci est indiqué entre crochets.

Mots clés

doble	<u>do</u>-Blé	double
el baño	él <u>Ba</u>-gno	la salle de bains
hacia	<u>a</u>-cia	vers
tranquilo	tran-<u>ki</u>-lo	calme
primer : primero	pri-<u>mér</u> : pri-<u>mé</u>-ro	premier
el piso	él <u>pi</u>-so	l'étage
preferir	pré-fé-<u>rir</u>	préférer

 Reportez-vous au chapitre 5 sur la réservation d'une table dans un restaurant. Remplacez la table par une chambre et le reste de la situation est pratiquement le même.

Mots clés

la cama	la <u>ka</u>-ma	le lit
de matrimonio	dé ma-tri-<u>mo</u>-nio	double (littéralement : conjugal)
disponible	dis-po-<u>ni</u>-Blé	disponible
ver	bér	voir
acompañar	a-kom-pa-<u>gnar</u>	accompagner
la llave	la <u>ya</u>-bé	la clé

Mots clés

precioso	pré-ci̲o̲-so	beau ; superbe
la bañera	la ba-g̲né̲-ra	la baignoire
ducharse	dou-t̲char̲-sé	se doucher
caliente	ka-li̲é̲n-té	chaud
frío	f̲rí̲o	froid
la ventana	la bén-t̲a̲-na	la fenêtre
abrir	a-B̲rir̲	ouvrir
el mueble	él mou̲é̲-Blé	le meuble
el canal	él ka-n̲al̲	la chaîne
cuánto	kou̲a̲n-to	combien
quedarse	ké-d̲ar̲-sé	rester
el desayuno	él dé-sa-y̲ou̲-no	le petit-déjeuner
incluido	in-klou̲i̲-do	compris
precio	p̲ré̲-cio	prix

Remplir une fiche d'hôtel et vérifier si l'eau est potable

Voici quelques termes à connaître avant de remplir une fiche d'hôtel :

- ✔ **dirección permanente** (*di-rék-ci̲o̲n pér-ma-n̲én̲-té*) (adresse permanente)
- ✔ **calle, ciudad, estado o provincia** (*k̲a̲-yé çiou-d̲ad̲ és-t̲a̲-do o pro-b̲in̲-cia*) (rue, ville, état ou province)
- ✔ **país, código postal, teléfono** (*païs k̲o̲-di-go pos-t̲al̲ té-l̲é̲-fo-no*) (pays, code postal, téléphone)
- ✔ **número de pasaporte** (*n̲ou̲-mé-ro de pa-sa-p̲or̲-té*) (numéro de passeport)

✔ **si viene con vehículo...** (*si bié-né kon bé-i-kou-lo*) (si vous avez un véhicule...)

✔ **número de placa de matrícula** (*nou-mé-ro de pla-ka dé ma-tri-kou-la*) (numéro de plaque d'immatriculation)

✔ **fecha de vencimiento** (*fé-tcha dé bén-ci-mién-to*) (date d'expiration)

Mots clés

llenar	yé-nar	remplir
la ciudad	la çiou-dad	la ville
el estado	él és-ta-do	l'état
la provincia	la pro-bin-cia	la province
el código postal	él ko-di-go pos-tal	le code postal
el vehículo	él bé-i-kou-lo	le véhicule
la placa de matrícula	la pla-ka dé ma-tri-kou-la	la plaque d'im matriculation
vencer	bén-cér	expirer

Lorsque vous êtes à l'étranger, demandez toujours si l'eau du robinet est potable. Ne partez pas du principe qu'elle l'est. Voici quelques phrases qui vous permettront de savoir si vous pouvez la boire en toute sécurité :

✔ **¿ Es potable el agua del hotel ?** (*és po-ta-Blé él a-goua dél o-tél*) (Est-ce que l'eau de l'hôtel est potable ?)

✔ **Sí, y también tenemos agua embotellada.** (*si i tam-Bién té-né-mos a-goua ém-Bo-té-ya-da*) (Oui, et nous avons également de l'eau en bouteille.)

✔ **¿ Dónde encuentro el agua ?** (*don-dé én-kouén-tro él a-goua*) (Où puis-je trouver cette eau ?)

✔ **Las botellas están en su habitación** (*las Bo-té-yas és-tan én sou a-Bi-ta-cion*) (Les bouteilles sont dans votre chambre.)

Mots clés

la tarjeta	la tar-rhé-ta	la carte
el efectivo	él é-fék-ti-bo	le liquide
la maleta	la ma-lé-ta	la valise
potable	po-ta-Blé	potable
embotellada	ém-Bo-té-ya-da	en bouteille
despertar	dés-pér-tar	réveiller

En France, bien que l'eau n'ait pas le même goût selon les régions, vous pouvez la boire sans craindre d'être malade. En revanche, dans certains pays, elle n'est pas traitée avec autant de soin. Par conséquent, vous devez éviter de vous en servir pour vous rincer les dents et fermer la bouche quand vous vous douchez pour ne pas risquer d'en ingérer accidentellement.

Le verbe dormir : dormir

Après une longue journée, arrive le moment béni où vous pouvez enfin vous reposer et aller vous coucher. En espagnol, le verbe **dormir** (*dor-mir*) (dormir) est légèrement irrégulier, un peu comme une personne très fatiguée.

Au présent, le verbe dormir est irrégulier, excepté aux deux premières personnes du pluriel.

Conjugaison	Prononciation
yo duermo	yo douér-mo
tú duermes	tou douér-més

Conjugaison	Prononciation
él, ella, ello, uno, usted duerme	él, é-ya, é-yo, <u>ou</u>-no, ous-<u>téd</u> dou<u>ér</u>-mé
nosotros dormimos	no-<u>so</u>-tros dor-<u>mi</u>-mos
vosotros dormís	bo-<u>so</u>-tros dor-<u>mis</u>
ellos, ellas, ustedes duermen	<u>é</u>-yos, <u>é</u>-yas, ous-<u>té</u>-dés dou<u>ér</u>-mén

Entraînez-vous à dormir sur vos deux oreilles avec les phrases suivantes :

- ✔ **Yo duermo todos los días ocho horas.** (yo dou<u>ér</u>-mo <u>to</u>-dos los <u>di</u>as <u>o</u>-tcho <u>o</u>-ras) (Je dors huit heures tous les jours.)

- ✔ **Camilo duerme en su cama.** (ka-<u>mi</u>-lo dou<u>ér</u>-mé én sou <u>ka</u>-ma) (Camilo dort dans son lit.)

- ✔ **Dormimos en nuestra casa.** (dor-<u>mi</u>-mos én nou<u>és</u>-tra <u>ka</u>-sa) (Nous dormons dans notre maison.)

- ✔ **Los invitados duermen en tu recámara.** (los in-bi-<u>ta</u>-dos dou<u>ér</u>-mén én tou ré-<u>ka</u>-ma-ra) (Les invités dorment dans ta chambre.) [Mexique]

- ✔ **Dos gatos duermen en mi cama.** (dos <u>ga</u>-tos dou<u>ér</u>-mén én mi <u>ka</u>-ma) (Deux chats dorment dans mon lit.)

- ✔ **Tú duermes con un osito.** (tou dou<u>ér</u>-més kon oun o-<u>si</u>-to) (Tu dors avec un ours en peluche.)

- ✔ **Los pájaros también duermen.** (los <u>pa</u>-rha-ros tam-Bi<u>én</u> dou<u>ér</u>-mén) (Les oiseaux dorment aussi.)

Le verbe despertar : se réveiller

Après une bonne nuit de sommeil, employez le verbe despertar (dés-pér-tar) (se réveiller). Au présent, le radical de ce verbe n'est pas le même à la première personne du singulier qu'à la première personne du pluriel. Vous pouvez donc en déduire qu'il est irrégulier.

Conjugaison	Prononciation
yo despierto	yo dés-pié<u>r</u>-to
tú despiertas	tou dés-pié<u>r</u>-tas
él, ella, ello, uno, usted despierta	él, <u>é</u>-ya, <u>é</u>-yo, <u>ou</u>-no, ous-<u>téd</u> dés-pié<u>r</u>-ta
nosotros despertamos	no-<u>so</u>-tros dés-pér-<u>ta</u>-mos
vosotros despertáis	bo-<u>so</u>-tros dés-pér-<u>ta</u>ïs
ellos, ellas, ustedes despiertan	<u>é</u>-yos, <u>é</u>-yas, ous-<u>té</u>-dés dés-pié<u>r</u>-tan

Vous connaissez désormais la conjugaison de despertar mais, au réveil, vous risquez de ne pas avoir les
idées très claires. Mieux vaut vous entraîner à conjuguer ce verbe dès maintenant :

- **Yo despierto temprano en la mañana.** (*yo dés-
pié<u>r</u>-to tém-<u>pra</u>-no én la ma-<u>gna</u>-na*) (Je me réveille
tôt le matin.)

- **Ustedes despiertan juntos.** (*ous-<u>té</u>-dés dés-pié<u>r</u>-tan
<u>rhoun</u>-tos*) (Vous vous réveillez ensemble [vou-
voiement de politesse].)

- **Ellos no despiertan de noche.** (*<u>é</u>-yos no dés-pié<u>r</u>-
tan dé <u>no</u>-tché*) (Ils ne se réveillent pas la nuit.)

- **Despierta con el canto de los pájaros** (*dés-pié<u>r</u>-ta
kon él <u>kan</u>-to dé los <u>pa</u>-rha-ros*) (Il se réveille avec
le chant des oiseaux.)

Soyez possessif

En espagnol, les adjectifs possessifs varient selon
qu'ils s'appliquent à un nom au singulier ou à nom au
pluriel. Par exemple, on dit **mi llave** (*mi <u>ya</u>-bé*) (ma
clé) quand on parle d'une seule clé et **mis llaves** (*mis
<u>ya</u>-bés*) (mes clés) quand on fait référence à plusieurs
clés.

Les pronoms possessifs s'accordent également en
nombre (singulier ou pluriel). Par exemple, on dit **esta
llave es mía** (*<u>és</u>-ta <u>ya</u>-bé és <u>mia</u>*) (cette clé est la

mienne) ou **estas llaves son mías** (<u>és</u>-tas <u>ya</u>-bés son <u>mi</u>as) (ces clés sont les miennes) quand il y en a plu-sieurs.

Vous remarquerez que certains adjectifs posses-sifs ne varient pas selon le genre (masculin ou féminin). En revanche, tous les pronoms posses-sifs s'accordent en genre et en nombre. **Llave**, qui est féminin, est précédé de **mía**. En plus du singulier et du pluriel, il faut donc se demander si le nom est masculin ou féminin.

Adjectifs possessifs

Voici la liste de tous les adjectifs possessifs :

- ✔ **mi** (*mi*) (mon, ma)
- ✔ **mis** (*mis*) (mes)
- ✔ **tu** (*tou*) (ton, ta)
- ✔ **tus** (*tous*) (tes)
- ✔ **su** (*sou*) (son, sa)
- ✔ **sus** (*sous*) (ses)
- ✔ **nuestro** (*noués-tro*) (notre) [suivi du masculin]
- ✔ **nuestra** (*noués-tra*) (notre) [suivi du féminin]
- ✔ **nuestros** (*noués-tros*) (nos) [suivi du masculin]
- ✔ **nuestras** (*noués-tras*) (nos) [suivi du féminin]
- ✔ **vuestro** (*boués-tro*) (votre) [suivi du masculin]
- ✔ **vuestra** (*boués-tra*) (votre) [suivi du féminin]
- ✔ **vuestros** (*boués-tros*) (vos) [suivi du masculin]
- ✔ **vuestras** (*boués-tras*) (vos) [suivi du féminin]
- ✔ **su** (*sou*) (leur)
- ✔ **sus** (*sous*) (leurs)

Voici quelques exemples de phrases comportant un adjectif possessif :

- ✔ **Esta es mi habitación.** (<u>és</u>-ta és mi a-Bi-ta-ci<u>on</u>) (C'est ma chambre.)
- ✔ **Tus llaves están en la mesa.** (*tous* <u>ya</u>-bés és-<u>tan</u> én la <u>mé</u>-sa) (Tes clés sont sur la table.)

- **Sus llaves se las llevó la camarera.** (*sous ya-bés sé las yé-bo la ka-ma-ré-ra*) (C'est la femme de chambre qui a pris ses clés.)
- **Ese es nuestro hotel.** (*é-sé és noués-tro o-tél*) (C'est notre hôtel.)
- **Vinieron en su coche.** (*bi-nié-ron én sou ko-tché*) (Ils sont venus avec leur voiture.)
- **Tus toallas están secas.** (*tous to-a-yas és-tan sé-kas*) (Tes serviettes sont sèches.)
- **Esas son mis maletas.** (*é-sas son mis ma-lé-tas*) (Ce sont mes valises.)
- **Nuestras sábanas están limpias.** (*noués-tras sa-Ba-nas és-tan lim-pias*) (Nos draps sont propres.)
- **Mis zapatos están en el coche.** (*mis ça-pa-tos és-tan én él ko-tché*) (Mes chaussures sont dans la voiture.)
- **Tu pasaporte está en la recepción.** (*tou pa-sa-por-té és-ta én la ré-cép-cion*) (Ton passeport est à la réception.)

Pronoms possessifs

Voici la liste des pronoms possessifs :

- **el mío** (*él mio*) (le mien)
- **la mía** (*la mia*) (la mienne)
- **los míos** (*los mios*) (les miens)
- **las mías** (*las mias*) (les miennes)
- **el tuyo** (*él tou-yo*) (le tien)
- **la tuya** (*la tou-ya*) (la tienne)
- **los tuyos** (*los tou-yos*) (les tiens)
- **las tuyas** (*las tou-yas*) (les tiennes)
- **el suyo** (*él sou-yo*) (le sien)
- **la suya** (*la sou-ya*) (la sienne)
- **los suyos** (*los sou-yos*) (les siens)
- **llas suyas** (*las sou-yas*) (les siennes)
- **el nuestro** (*él noués-tro*) (le nôtre)

- ✔ **la nuestra** (*la nou<u>és</u>-tra*) (la nôtre)
- ✔ **los nuestros** (*los nou<u>és</u>-tros*) (les nôtres) [masculin]
- ✔ **las nuestras** (*las nou<u>és</u>-tras*) (les nôtres) [féminin]
- ✔ **el vuestro** (*él bou<u>és</u>-tro*) (le vôtre)
- ✔ **la vuestra** (*la bou<u>és</u>-tra*) (la vôtre)
- ✔ **los vuestros** (*los bou<u>és</u>-tros*) (les vôtres) [masculin]
- ✔ **las vuestras** (*las bou<u>és</u>-tras*) (les vôtres) [féminin]
- ✔ **el suyo** (*él <u>sou</u>-yo*) (le leur)
- ✔ **la suya** (*la <u>sou</u>-ya*) (la leur)
- ✔ **los suyos** (*los <u>sou</u>-yos*) (les leurs) [masculin]
- ✔ **las suyas** (*las <u>sou</u>-yas*) (les leurs) [féminin]

Voici quelques exemples de phrases comportant un pronom possessif :

- ✔ **La cama esa es mía.** (*la <u>ka</u>-ma <u>é</u>-sa és <u>mí</u>a*) (Ce lit est le mien.)
- ✔ **Las camas que están en el otro cuarto son suyas.** (*las <u>ka</u>-mas ké és-<u>tan</u> én él <u>o</u>-tro kou<u>ar</u>-to son <u>sou</u>-yas*) (Les lits qui sont dans l'autre chambre sont les vôtres [vouvoiement de politesse].)
- ✔ **Esa maleta es la tuya.** (*<u>é</u>-sa ma-<u>lé</u>-ta és la <u>tou</u>-ya*) (Cette valise est la tienne.)
- ✔ **Ese otro hotel es el suyo** (*<u>é</u>-sé <u>o</u>-tro o-<u>tél</u> és él <u>sou</u>-yo*) (Cet autre hôtel est le vôtre [vouvoiement de politesse].)
- ✔ **Esos pasaportes son los nuestros.** (*<u>é</u>-sos pa-sa-<u>por</u>-tés son los nou<u>és</u>-tros*) (Ces passeports sont les nôtres.)
- ✔ **La maleta que es tuya está en la recepción.** (*la ma-<u>lé</u>-ta ké és <u>tou</u>-ya és-<u>ta</u> én la ré-cép-ci<u>on</u>*) (Ta valise [littéralement : la valise qui est la tienne] est à la réception.)
- ✔ **Los calcetines son míos.** (*los kal-cé-<u>ti</u>-nés son <u>mí</u>os*) (Les chaussettes sont à moi [littéralement : les miennes].)

- ✔ **Ese vaso es suyo** (*é-sé ba-so és sou-yo*) (Ce verre est à elle [littéralement : ce verre est le sien].)

- ✔ **La cuenta es nuestra.** (*la kouén-ta és noués-tra*) (L'addition est pour nous [littéralement : l'addition est la nôtre].)

- ✔ **Son suyas las almohadas.** (*son sou-yas las al-mo-a-das*) (Les oreillers sont à lui [littéralement : les oreillers sont les siens].)

Chapitre 10

Se déplacer : avion, train, taxi et autres

- -

Dans ce chapitre :

▶ Arriver à l'aéroport

▶ Passer la douane

▶ Louer une voiture

▶ Prendre les transports en commun

▶ Lire le plan et les horaires

▶ Être en avance, en retard, à l'heure

- -

Quand vous voyagez, votre premier souci est d'arriver à bon port. Dès que vous mettrez le pied sur le sol d'un pays hispanophone, vous serez confronté à toutes sortes de situations. Ce chapitre va donc vous donner une idée de ce qui vous attend et vous aider à vous débrouiller en toutes circonstances.

Arriver à l'aéroport

Une fois arrivé à l'aéroport, remettez-vous-en au personnel de l'aéroport, qui vous guidera dans les diverses démarches à effectuer. Pendant que vos bagages sont déchargés, préparez vos papiers d'identité. Voici les phrases que vous êtes susceptible d'entendre :

✔ **Pase a Migración.** (*pa-sé a mi-gra-cion*) (Allez à la Migration.)

✔ **Pase a Inmigración** (*pa-sé a in-mi-gra-cion*) (Allez à l'Immigration.)

✔ **Pase por aquí con su pasaporte en la mano.** (*pa-sé por a-ki kon sou pa-sa-por-té én la ma-no*) (Passez par ici avec votre passeport à la main.)

Pendant que vous faites la queue à la douane, préparez-vous à répondre aux questions suivantes :

✔ **¿ Me permite su pasaporte ?** (*mé pér-mi-té sou pa-sa-por-té*) (Puis-je avoir votre passeport ?)

✔ **¿ De dónde viene ?** (*dé don-dé bié-né*) (D'où venez-vous ?)

✔ **¿ En qué vuelo llegó ?** (*én ké boué-lo yé-go*) (Avec quel vol êtes-vous arrivé ?)

✔ **¿ A dónde va ?** (*a don-dé ba*) (Où allez-vous ?)

✔ **¿ Cuánto tiempo quiere quedarse en el país ?** (*kouan-to tiém-po kié-ré ké-dar-sé én él païs*) (Combien de temps voulez-vous rester dans le pays.)

✔ **¿ Cuánto dinero trae consigo ?** (*kouan-to di-né-ro tra-é kon-si-go*) (Combien d'argent avez-vous sur vous ?)

Mots clés

Migración	mi-gra-cion	Migration
Inmigración	in-mi-gra-cion	Immigration
el documento de identidad	él do-kou-mén-to dé i-den-ti-dad	la pièce d'identité
el pasaporte	él pa-sa-por-té	le passeport
quedar	ké-dar	rester
el dinero	él di-né-ro	l'argent
la estadía	la és-ta-dia	le séjour [Amérique latine]
la estancia	la és-tan-cia	le séjour [Espagne]

✔ **¡ Que tenga una estadía feliz !** (*ké tén-ga ou-na és-ta-dia fé-liç*) (Passez un bon séjour !)

✔ **¡ Que lo pase muy bien !** (*ké lo pa-sé mouï Bién*) (Amusez-vous bien !)

✔ **Pase a la aduana, por favor.** (*pa-sé a la a-doua-na por fa-bor*) (Allez à la douane, s'il vous plaît.)

Trouver la gare

Si vous cherchez la gare, inspirez-vous des phrases suivantes :

✔ **¿ Dónde está la estación ?** (*don-dé és-ta la és-ta-cion*) (Où est la gare ?)

✔ **¿ Cómo llego a la Estación Central ?** (*ko-mo yé-go a la és-ta-cion çén-tral*) (Comment va-t-on à la gare centrale ?)

✔ **Lléveme a la estación, por favor.** (*yé-bé-mé a la és-ta-cion por fa-bor*) (Emmenez-moi à la gare, s'il vous plaît.)

Se faire contrôler dans le train

Si vous allez en Espagne en train depuis la France, le contrôleur peut vous demander votre carte d'identité. Si vous voyagez en train entre deux pays d'Amérique latine, vous devrez remplir les formalités de douane.

✔ **¿ Me permiten ver sus documentos de identidad, por favor ?** (*mé pér-mi-tén bér sous do-kou-mén-tos dé i-dén-ti-dad por fa-bor*) (Puis-je voir vos cartes d'identité, s'il vous plaît ?)

✔ **Me llevo sus pasaportes un rato.** (*mé yé-bo sous pa-sa-por-tés oun ra-to*) (J'emporte vos passeports un moment.)

✔ **Aquí tienen de vuelta sus pasaportes.** (*a-ki tié-nén dé bouél-ta sous pa-sa-por-tés*) (Tenez, je vous rends vos passeports.)

✔ **Aquí tienen sus formularios de aduana.** (*a-ki tié-nén sous for-mou-la-rios dé a-doua-na*) (Voici votre formulaire de déclaration en douane.)

Mots clés

la estación	la és-ta-ci<u>on</u>	la gare
el tren	él trén	le train
el boleto [Amérique latine]	él Bo-<u>lé</u>-to	le billet [Amérique latine]
el billete	él Bi-<u>yé</u>-té	le billet [Espagne]
primera clase	pri-<u>mé</u>-ra <u>kla</u>-sé	première classe
el asiento	él a-si<u>én</u>-to	le siège
el formulario	él for-mou-<u>la</u>-rio	le formulaire
el cuestionario	él koués-tio-<u>na</u>-rio	le questionnaire

✔ **Llenen por favor el cuestionario.** (<u>yé</u>-nén por fa-<u>bor</u> él koués-tio-<u>na</u>-rio) (Veuillez remplir le questionnaire.)

✔ **Al llegar llévelo a la aduana.** (al yé-<u>gar</u> <u>yé</u>-bé-lo a la a-dou<u>a</u>-na) (En arrivant, emmenez-le à la douane.)

Remplir les formalités de douane

Quand vous achetez votre billet, renseignez-vous sur la réglementation douanière de votre pays de destination. Évitez d'emmener avec vous des objets interdits par cette réglementation.

Chaque pays a sa propre réglementation. Votre agence de voyages ou le consulat du pays où vous allez vous fournira gratuitement tous les renseignements dont vous avez besoin à ce sujet. En général, les produits risquant de poser problème sont les cigarettes, l'alcool, les armes, les appareils électroniques et les œuvres d'art reconnues à l'échelle nationale.

Déclarez (par écrit ou oralement) tout ce qui peut être suspect ou soumis à des droits. Dans la plupart des cas, les produits destinés à un usage personnel sont exempts de droits de douane. Mais ce sont les douaniers qui déterminent si vous avez des droits à payer ou non.

Voici quelques phrases à connaître pour passer la douane sans problème :

✔ **¿ Este objeto paga derechos ?** (*és-té oB-rhé-to pa-ga dé-ré-tchos*) (Y a-t-il des droits à payer sur cet objet [littéralement : cet objet paie-t-il des droits] ?)

✔ **Cuánto se paga en derechos por este objeto ?** (*kouan-to sé pa-ga én dé-ré-tchos por és-té oB-rhé-to*) (À combien s'élèvent les droits à payer sur cet objet ?)

✔ **Debe pagar impuestos.** (*dé-Bé pa-gar im-poués-tos*) (Vous avez des taxes à payer.)

✔ **Libre de impuestos.** (*li-Bré dé im-poués-tos*) (Hors taxe.)

N'oubliez pas que les douaniers n'ont rien contre vous. Ils sont payés pour vérifier que personne n'introduit des produits illégaux sur le territoire.

 Évitez de plaisanter avec les douaniers. Ceux-ci jouent un rôle essentiel pour la sécurité de leur pays et ne sont pas là pour faire de l'humour.

Déclarer les appareils photos, les ordinateurs et autres types de matériel

Dans certains pays, vous devez déclarer votre appareil photo, votre caméscope ou votre ordinateur et en indiquer le numéro de série sur le formulaire de déclaration. Grâce à ce formulaire, vous pourrez, le cas échéant, prouver ce que vous aviez sur vous en entrant dans le pays.

Vous serez ensuite le seul à pouvoir ressortir du pays avec vos biens, puisque vous devrez produire le document que vous aurez rempli à votre arrivée. Bonne nouvelle, non ?

Cette formalité douanière a pour but d'empêcher les individus entrant sur le territoire de vendre, voire de donner, des objets soumis à des droits de douane. En vérifiant que vous repartez avec votre matériel, les douaniers s'assurent que les citoyens du pays n'ont pas accès à des produits hors taxe.

Voici quelques phrases qui vous seront utiles au moment de faire votre déclaration :

> ✔ **Por favor llene este formulario.** (*por fa-bor yé-né és-té for-mou-la-rio*) (Veuillez remplir ce formulaire.)

Mots clés

la aduana	la a-dou<u>a</u>-na	la douane
el aparato	él a-pa-<u>ra</u>-to	l'appareil
uso personal	<u>ou</u>-so pér-so-<u>nal</u>	usage personnel
revisar	ré-bi-<u>sar</u>	examiner
las maletas	las ma-<u>lé</u>-tas	les valises
abrir	a-<u>Brir</u>	ouvrir
afeitar	a-féi-<u>tar</u>	raser
la cámara de vídeo	la <u>ka</u>-ma-ra dé <u>bi</u>-dé-o	le caméscope
la computadora portátil	la kom-pou-ta-<u>do</u>-ra por-<u>ta</u>-til	l'ordinateur portable [Amérique latine]
el ordenador portátil	él or-dé-na-<u>dor</u> por-<u>ta</u>-til	l'ordinateur portable [Espagne]
salir	sa-<u>lir</u>	sortir

✔ **¿ Cuáles son las máquinas que hay que registrar ?** (*koua-lés son las ma-ki-nas ké aï ké ré-rhis-trar*) (Quels sont les appareils à déclarer ?)

✔ **Al salir del país debe presentar este formulario.** (*al sa-lir dél païs dé-bé pré-sén-tar és-té for-mou-la-rio*) (En sortant du pays, vous devez présenter ce formulaire.)

✔ **Puede pasar hacia la salida.** (*poué-dé pa-sar a-cia la sa-li-da*) (Vous pouvez vous diriger vers la sortie.)

Le verbe traer : apporter

Le verbe **traer** (*tra-ér*) (apporter) est irrégulier mais très utile. Vous apportez toujours quelque chose et il peut aussi arriver que quelqu'un vous apporte quelque chose. Par exemple, vous apportez une bouteille quand vous êtes invité chez un ami et, au restaurant, le serveur vous apporte les plats que vous avez commandés. Mais en espagnol, **traer** peut tout simplement signifier « avoir sur soi ». Voici comment il se conjugue au présent :

Conjugaison	Prononciation
yo traigo	yo traï-go
tú traes	tou tra-és
él, ella, ello, uno, usted trae	él, é-ya, é-yo, ou-no, ous-téd tra-é
nosotros traemos	no-so-tros tra-é-mos
vosotros traéis	bo-so-tros tra-éïs
ellos, ellas, ustedes traen	é-yos, é-yas, ous-té-dés tra-én

Employer le verbe traer

Il est toujours bon de s'entraîner à employer un verbe que l'on vient de découvrir. Voici donc quelques phrases pour vous y aider :

- **Traigo una cámara.** (_traï-go ou-na ka-ma-ra_) (J'ai un appareil photo sur moi.)
- **¿ Traes las fotos ?** (_tra-és las fo-tos_) (Tu apportes les photos ?)
- **Lo que traemos no es problema.** (_lo ké tra-é-mos no és pro-Blé-ma_) (Ce que nous apportons [introduisons sur le territoire] ne pose pas de problème.)
- **Traen cosas de uso personal.** (_tra-én ko-sas dé ou-so pér-so-nal_) (Ils apportent des choses pour leur usage personnel.)

Prendre un taxi, prendre le bus ou louer une voiture

Que vous arriviez en avion ou en train, vous allez devoir prendre un taxi, prendre le bus ou louer une voiture pour aller en ville. Certaines compagnies aériennes prévoient le trajet en taxi. Ainsi, dès votre sortie de l'aéroport, vous êtes sûr d'être attendu par un taxi, qui vous emmène directement à votre hôtel.

Inspirez-vous des phrases suivantes pour prendre le taxi en toute tranquillité :

- **¿ Dónde encuentro un taxi ?** (_don-dé én-kouén-tro oun ta-xi_) (Où puis-je trouver un taxi ?)
- **¿ Hay paraderos de taxis ?** (_aï pa-ra-dé-ros dé ta-xis_) (Y a-t-il des stations de taxis ?)
- **¿ Se paga aquí el taxi ?** (_se pa-ga a-ki él ta-xi_) (Faut-il payer le taxi ici ?)
- **No. El taxi se paga al llegar a su destino.** (_no él ta-xi sé pa-ga al yé-gar a sou dés-ti-no_) (Non. Le taxi se paye à l'arrivée [à destination].)

Prendre le bus

Si vous devez prendre le bus en sortant de l'aéroport ou de la gare, renseignez-vous en vous aidant des phrases suivantes :

✔ **¿ Hay parada de autobús ?** (*aï pa-ra-da dé aou-to-Bous*) (Y a-t-il un arrêt de bus ?)

✔ **¿ Hay autobuses para ir al centro ?** (*aï aou-to-Bou-sés pa-ra ir al cén-tro*) (Y a-t-il des bus pour aller au centre-ville ?)

✔ **¿ Se compran los billetes antes ?** (*sé kom-pran los Bi-yé-tés an-tés*) (Faut-il acheter les tickets à l'avance ?)

Mots clés

la parada	la pa-ra-da	l'arrêt [Espagne]
el paradero	él pa-ra-dé-ro	l'arrêt [Amérique latine]
la calle	la ka-yé	la rue
el autobús	él aou-to-Bous	le bus
cerca	cér-ka	près, à proximité

Voyager en voiture

En Espagne, les panneaux de signalisation ressemblent beaucoup à ceux que l'on utilise en France. Si vous voyagez en voiture, vous ne serez pas dépaysé.

 Si vous avez l'intention de louer une voiture, essayez de savoir s'il ne serait pas plus intéressant de louer depuis chez vous, avant de partir. En général, c'est le cas.

Permis de conduire

Votre permis de conduire national est valable dans tous les pays de l'Union européenne. Par conséquent, il est valable en Espagne. Si vous voyagez en Amérique latine, vous devez avoir un premis de conduire international. Faites-en la demande en préfecture avant votre départ.

Panneaux de signalisation

En Espagne, les panneaux de signalisation sont conçus à partir de symboles, qui les rendent faciles à comprendre quelle que soit la langue du conducteur. Du reste, la plupart des panneaux de signalisation sont devenus universels. Ce sont pratiquement les mêmes partout. Voici quelques exceptions :

✔ Les autoroutes sont indiquées en vert et non en bleu.

✔ Un trait vertical croisé de trois traits horizontaux annonce une zone urbaine.

✔ Une voiture à cheval sur deux traits situés l'un au-dessous de l'autre annonce une chaussée dénivelée.

Si vous louez une voiture, demandez au personnel de l'agence s'il existe des panneaux que vous êtes susceptible de ne pas comprendre.

À la sortie de l'aéroport ou en ville, vous pouvez poser une des deux questions suivantes pour trouver une voiture à louer :

✔ ¿ **Dónde arriendan coches ?** (_don_-dé a-Ri_én_-dan _ko_-tchés) (Où peut-on louer une voiture ?)

✔ ¿ **Hay oficinas de arriendo de coches ?** (_aï o-fi-ci-nas dé a-Ri_én_-do dé _ko_-tchés) (Y a-t-il des agences de location de voitures.)

Louer une voiture

Si vous décidez de louer une voiture, vous allez devoir faire une longue conversation en espagnol et poser les questions suivantes :

✔ **Quiero arrendar un coche.** (_kié_-ro a-R_én_-_dar_ oun _ko_-tché) (Je veux louer une voiture.)

✔ ¿ **Me puede dar la lista de precios ?** (_mé poué_-dé dar la _lis_-ta dé _pré_-cios) (Pouvez-vous me donner la liste des prix ?)

✔ ¿ **Cuánto cuesta al día ?** (*kou<u>an</u>-to kou<u>és</u>-ta al <u>di</u>a*) (Quel est le tarif pour une journée ?)

✔ ¿ **Cuánto cuesta por semana ?** (*kou<u>an</u>-to kou<u>és</u>-ta por sé-ma-na*) (Quel est le tarif pour une semaine ?)

✔ ¿ **Cuántos kilómetros puedo andar ?** (*kou<u>an</u>-tos ki-<u>lo</u>-mé-tros pou<u>é</u>-do an-<u>dar</u>*) (Combien de kilomètres je peux faire ?)

✔ ¿ **Cuántos litros consume este coche cada cien kilómetros ?** (*kou<u>an</u>-tos <u>li</u>-tros kon-<u>sou</u>-mé <u>és</u>-té <u>ko</u>-tché <u>ka</u>-da çi<u>én</u> ki-<u>lo</u>-mé-tros*) (Combien de litres au cent consomme cette voiture ?)

✔ ¿ **Cuánto cuesta el seguro ?** (*kou<u>an</u>-to kou<u>és</u>-ta él sé-<u>gou</u>-ro*) (Combien coûte l'assurance ?)

✔ ¿ **Tiene mapas de la región ?** (*ti<u>é</u>-né <u>ma</u>-pas dé la ré-rhi<u>on</u>*) (Vous avez des cartes de la région ?)

✔ ¿ **Dónde está la rueda de repuesto ?** (*<u>don</u>-dé és-<u>ta</u> la rou<u>é</u>-da dé ré-pou<u>és</u>-to*) (Où est la roue de secours ?)

✔ ¿ **Dónde tengo que devolver el coche ?** (*<u>don</u>-dé <u>tén</u>-go ké dé-bol-<u>bér</u> él <u>ko</u>-tché*) (Où dois-je ramener la voiture ?)

Questions sur la conduite

Vous devez aussi connaître la voiture que vous louez et les conditions de conduite de la région que vous visitez. Ces phrases vous aideront à obtenir les informations dont vous avez besoin :

✔ ¿ **El coche es estándar o automático ?** (*él <u>ko</u>-tché és és-<u>tan</u>-dar o aou-to-<u>ma</u>-ti-ko*) (Est-ce une voiture standard ou automatique ?)

✔ ¿ **Es difícil conducir por aquí ?** (*és di-<u>fi</u>-cil kon-dou-ci<u>r</u> por a-<u>ki</u>*) (Il est difficile de conduire par ici ?)

✔ **Hay que tener mucha prudencia.** (*aï ké té-<u>nér</u> <u>mou</u>-tcha prou-<u>dén</u>-cia*) (Il faut être très prudent.)

- ✔ **¿ Habrá mucho tráfico en la mañana ?** (*a-<u>Bra</u> <u>mou</u>-tcho <u>tra</u>-fi-ko én la ma-<u>gna</u>-na*) (Il y aura beaucoup de circulation dans la matinée ?)

- ✔ **¿ Cuál es la mejor hora para salir de la ciudad ?** (*kou<u>al</u> és la mé-<u>rhor</u> <u>o</u>-ra <u>pa</u>-ra sa-<u>lir</u> dé la çiou-<u>dad</u>*) (Quelle est l'heure la plus adéquate pour sortir de la ville ?)

Questions sur la route

Le personnel de l'agence de location de voitures connaît certainement les routes que vous allez emprunter. Prenez une carte et renseignez-vous en vous inspirant des phrases suivantes :

Mots clés

arrendar	a-Rén-<u>dar</u>	louer
el arriendo	él a-Ri<u>én</u>-do	la location
la carretera	la ka-Ré-<u>té</u>-ra	la route
alquitranada	al-ki-tra-<u>na</u>-da	goudronnée
el camino de tierra	él ka-<u>mi</u>-no dé ti<u>é</u>-Ra	le chemin de terre
el camino de terracería	él ka-<u>mi</u>-no dé té-Ré-cé-<u>ria</u>	le chemin de terre [Mexique]
la autopista	la aou-to-<u>pis</u>-ta	l'autoroute
el peaje	él pé-<u>a</u>-rhé	le péage
la cuota	la kóu<u>o</u>-ta	le péage [Mexique]
conducir	kon-dou-ci<u>r</u>	conduire
el código	él <u>ko</u>-di-go	le code
girar	rhi-<u>rar</u>	tourner
salir	sa-<u>lir</u>	sortir

✔ **¿ Están alquitranadas las carreteras ?** (*és-tan al-ki-tra-na-das las ca-Ré-té-ras*) (Les routes sont-elles goudronnées ?)

✔ **No todas. Estas son de tierra.** (*no to-das és-tas son dé tié-Ra*) (Pas toutes. Celles-ci sont des chemins de terre.)

✔ **No todas. Estas son de terracería.** (*no to-das és-tas son de té-Ra-cé-ria*) (Pas toutes. Celles-ci sont des chemins de terre.) [Mexique]

Horaires : être en retard, en avance ou à l'heure

Quel que soit le moyen de transport pour lequel vous avez opté, vous devez connaître les horaires et déterminer si vous pourrez atteindre votre destination à temps. Pour bien vous organiser et savoir si les horaires sont respectés, utilisez les expressions suivantes :

✔ **a la hora** (*a la o-ra*) (à l'heure)

✔ **anda atrasado** (*an-da a-tra-sa-do*) (il est en retard)

✔ **viene adelantado** (*bié-né a-dé-lan-ta-do*) (il arrive en avance)

✔ **el horario** (*él o-ra-rio*) (l'horaire)

✔ **es temprano** (*és tém-pra-no*) (il est tôt)

✔ **es tarde** (*és tar-dé*) (il est tard)

✔ **la tarde** (*la tar-dé*) (l'après-midi)

Le mot tarde (tar-dé) n'a pas le même sens selon qu'il est précédé ou non de l'article. Le chapitre 2 explique dans quelles conditions ajouter l'article.

Parfois les horaires indiqués ne sont pas respectés, ce qui vous oblige à vous renseigner auprès de quelqu'un. Voici les réponses que vous êtes susceptible d'obtenir à propos des changements d'horaires :

✔ **Hay que esperar, está atrasado.** (*aï ké és-pé-rar és-ta a-tra-sa-do*) (Il faut attendre, il est en retard.)

✔ **El vuelo llegó adelantado.** (*él boué-lo yé-go a-dé-lan-ta-do*) (Le vol est arrivé en avance.)

✔ **El reloj está adelantado.** (*él ré-lorh és-ta a-dé-lan-ta-do*) (L'horloge avance.)

✔ **El autobús va adelantado.** (*él aou-to-Bous ba a-dé-lan-ta-do*) (Le bus est en avance.)

✔ **El tren va a llegar a la hora.** (*él trén ba a yé-gar a la o-ra*) (Le train va arriver à l'heure.)

✔ **Esperan porque va a llegar tarde.** (*és-pé-ran por-ké ba a yé-gar tar-dé*) (Ils attendent parce qu'il va arriver en retard.)

✔ **El autobús viene en hora.** (*él aou-to-Bous bié-né én o-ra*) (Le bus arrive à l'heure.)

Le verbe *salir* : sortir, partir, déboucher

Salir (*sa-lir*) est un verbe irrégulier qui peut avoir plusieurs significations selon le contexte. Voici quelques exemples :

✔ **¿ De dónde sale el tranvía a Callao ?** (*dé don-dé sa-lé él tran-bia a ka-ya-o*) (D'où part le tramway pour Callao ?)

✔ **¿ Cada cuánto sale el autobús ?** (*ca-da kouan-to sa-lé él aou-to-Bous*) (Tous les combien [à quelle fréquence] passe le bus ?)

✔ **Salimos a andar en trolebús.** (*sa-li-mos a an-dar én tro-lé-bous*) (Nous sommes sortis faire un tour en tramway.)

✔ **Ellos salen de la estación.** (*é-yos sa-lén dé la és-ta-cion*) (Ils sortent de la gare.)

✔ **Vamos a salir en la calle Oro.** (*ba-mos a sa-lir én la ka-yé o-ro*) (Nous allons déboucher dans la rue Oro.)

Au présent, le verbe **salir** se conjugue de la manière suivante :

Conjugaison	Prononciation
yo salgo	yo <u>sal</u>-go
tú sales	tou <u>sa</u>-lés
él, ella, ello, uno, usted sale	él, <u>é</u>-ya, <u>é</u>-yo, <u>ou</u>-no, ous-<u>téd</u> <u>sa</u>-lé
nosotros salimos	no-<u>so</u>-tros sa-<u>li</u>-mos
vosotros salís	bo-<u>so</u>-tros sa-<u>lis</u>
ellos, ellas, ustedes salen	<u>é</u>-yos, <u>é</u>-yas, ous-<u>té</u>-dés <u>sa</u>-lén

Le verbe esperar : attendre et espérer

Esperar (*és-pé-<u>rar</u>*) est à la fois le verbe de l'espoir et celui de l'attente – peut-être l'attente ne se justifie-t-elle que par l'espoir. Quoi qu'il en soit, **esperar** est un verbe régulier en **-ar**, facile à conjuguer, comme le montre le tableau suivant. Le radical, la partie à laquelle on ajoute les terminaisons, est **esper-** (*espér*).

Conjugaison	Prononciation
yo espero	yo és-<u>pé</u>-ro
tú esperas	tou és-<u>pé</u>-ras
él, ella, ello, uno, usted espera	él, <u>é</u>-ya, <u>é</u>-yo, <u>ou</u>-no, ous-<u>téd</u> és-<u>pé</u>-ra
nosotros esperamos	no-<u>so</u>-tros és-pé-<u>ra</u>-mos
vosotros esperáis	bo-<u>so</u>-tros és-pé-<u>raï</u>s
ellos, ellas, ustedes esperan	<u>é</u>-yos, <u>é</u>-yas, ous-<u>té</u>-dés és-<u>pé</u>-ran

Employer le verbe esperar

Esperar (és-pé-rar) suivi de que signifie « espérer ». Seul, il signifie « attendre ». Voici quelques exemples de l'emploi de ce verbe :

- ✔ **Espero que le guste mi coche** (*és-pé-ro ké lé gous-té mi ko-tché*) (J'espère que ma voiture vous plaira.)
- ✔ **Esperamos en la cola.** (*és-pé-ra-mos én la ko-la*) (Nous faisons la queue [littéralement : nous attendons dans la queue].)
- ✔ **Espero que venga el taxi.** (*és-pé-ro ké bén-ga él ta-xi*) (J'espère que le taxi va arriver.)
- ✔ **Espero el taxi.** (*és-pé-ro él ta-xi*) (J'attends le taxi.)
- ✔ **No esperamos más el autobús** (*no és-pé-ra-mos mas él aou-to-Bous*) (Nous n'avons pas attendu le bus plus longtemps.)
- ✔ **Deben esperar el avión.** (*dé-Bén és-pé-rar él a-bion*) (Ils doivent attendre l'avion.)
- ✔ **Espera que no llueva mañana.** (*és-pé-ra ké no yué-ba ma-gna-na*) (Il espère qu'il ne pleuvra pas demain.)

Se déplacer en ville

Se déplacer dans une ville étrangère n'est pas toujours facile. Heureusement, les Espagnols et les Latino-Américains sont toujours prêts à aider les touristes. Alors, n'hésitez pas à demander votre chemin.

Les lieux cités dans les exemples suivants se trouvent tous à Buenos Aires, en Argentine.

- ✔ **En esta ciudad hay buses y trolebuses.** (*én és-ta çiou-dad aï Bou-sés i tro-lé-Bou-sés*) (Dans cette ville, il y a des bus et des tramways.)
- ✔ **En Buenos Aires hay trenes subterráneos.** (*én Boué-nos aï-rés aï tré-nés souB-té-Ra-né-os*) (À Buenos Aires, il y a le métro.)
- ✔ **El mapa del subte está en la estación** (*él ma-pa dél souB-té és-ta én la és-ta-cion*) (La carte du métro est dans la gare.)
- ✔ **Sale en la estación de Callao.** (*sa-lé én la és-ta-cion dé ka-ya-o*) (Vous sortez à la gare de Callao.)

✔ ¿ **Aquí para el bus de Palermo ?** (*a-ki pa-ra él Bous de pa-lér-mo*) (Est-ce que le bus pour Palermo s'arrête ici ?)

✔ ¿ **Este bus va por Rivadavia ?** (*és-té Bous ba por ri-ba-da-bia*) (Est-ce que ce bus passe par Rivadavia ?)

✔ **Hay que hacer cola.** (*aï ké a-cér ko-la*) (Il faut faire la queue.)

✔ ¿ **Qué bus tomo para Caballito ?** (*ké Bous to-mo pa-ra ka-Ba-yi-to*) (Quel bus dois-je prendre pour aller à Caballito ?)

✔ ¿ **El cuarenta me deja en Rivadavia con La Rural ?** (*él koua-rén-ta mé dé-rha en ri-ba-da-bia kon la rou-ral*) (Est-ce que le quarante me laisse à Rivadavia et à La Rural ?)

Mots clés

la cola	la ko-la	la queue
el autobús	él aou-to-Bous	le bus [Espagne]
el bus [Amérique latine]	él Bous	le bus [Amérique latine]
el tranvía	él tran-bia	le tramway [Espagne]
el trolebús	él tro-lé-Bous	le tramway [Amérique latine]
el metro	él mé-tro	le métro [Espagne]
el subterráneo ; el subte	él souB-té-Ra-né-o, él souB-té	le métro [Amérique latine]

Chapitre 11

Organiser un voyage

. . . .

Dans ce chapitre :

▶ Faire des projets de voyage

▶ Gérer les questions de passeport, visa et autres

▶ Employer les expressions « partir de » et « arriver à » en espagnol

▶ Conjuguer au futur proche

. . . .

Ce chapitre va vous faire bouger ! Vous allez découvrir de nouveaux univers, faire de nouvelles expériences et oublier votre quotidien. Plage, montagne, climat tropical, qu'est-ce qui vous tente ? Vous avez l'embarras du choix. L'aventure commence !

Les éléments de cette fusion varient. Dans certaines régions, comme dans le sud-est du Mexique et la majeure partie du territoire bolivien et péruvien, la culture aborigène indienne prédomine. Dans les pays comme l'Argentine ou l'Uruguay, les cultures européennes sont plus présentes. Mais où que vous alliez, en Espagne ou en Amérique latine, vous trouverez quelque chose de particulier à ramener chez vous ou dans votre cœur.

Faire des projets de voyage

En Espagne ou Amérique latine, quelles que soient vos envies, vous serez exaucé. Les pays hispanophones ont absolument tout ce dont vous pouvez rêver. Par exemple :

✔ **Des plages ?** Vous trouverez des dizaines de plages magnifiques sur tout le littoral espagnol et dans toute l'Amérique latine, excepté en Bolivie et au Paraguay.

✔ **Des chutes ?** Optez pour **El Salto del Ángel** (*él sal-to dél an-rhél*) (Le Saut de l'Ange), au Venezuela, qui fait partie des plus grandes chutes du monde, ou pour les spectaculaires **Cataratas del Iguazú** (*ka-ta-ra-tas dél i-goua-sou*) (chutes de l'Iguazú), en Argentine, à la frontière du Brésil et du Paraguay.

✔ **Des lacs ?** Allez voir le lac Titicaca, entre le Pérou et la Bolivie, ou les lacs qui relient les régions méridionales du Chili et de l'Argentine.

✔ **Une excursion dans la nature ?** Explorez les forêts du Honduras, du Venezuela, de la Colombie, de la Bolivie, du Pérou, du Guatemala ou du Costa Rica.

✔ **Une immersion dans les anciennes civilisations ?** Il existe des centaines de sites archéologiques, notamment au Mexique, au Guatemala, en Colombie, au Pérou, au Paraguay et même en Espagne.

Si vous aimez faire les boutiques et les marchés, enfilez des chaussures confortables et profitez-en. Vous cherchez :

✔ **De la porcelaine ?** Allez en Espagne.

✔ **Des articles en cuir ?** Choisissez en priorité l'Argentine ou le Mexique.

✔ **De l'argenterie ?** Préférez le Mexique ou le Pérou.

Choisir en fonction du climat

En Espagne, il existe des régions pluvieuses et d'autres où le climat est plus sec. Le tiers nord est pluvieux et bénéficie de températures douces. Le reste du pays, excepté le littoral, est chaud et sec avec un ciel d'un bleu profond.

Sur la carte, le Chili, l'Argentine et l'Uruguay forment un cône. C'est pourquoi on appelle cette région le Cône Sud. Visitez cette partie de l'Amérique latine de préférence entre l'automne et le printemps, de septembre à mars.

Toute la partie occidentale de l'Amérique du Sud est bordée par une chaîne de montagnes : **los Andes** (*los an-dés*) (les Andes). Seul l'Himalaya connaît des altitudes comparables à cette chaîne montagneuse. À la frontière entre le Chili et l'Argentine s'élève l'**Aconcagua** (*a-kon-ka-goua*) sommet de près de 7 000 mètres. Beaucoup d'autres sommets et volcans de la chaîne, notamment en Colombie et dans le sud du Chili, avoisinent cette altitude. Ces montagnes sont inconcevables pour ceux qui n'ont pas vécu à leur pied.

Bien sûr, au sommet de ces montagnes couvertes par les neiges éternelles, les températures sont très basses et l'oxygène se fait rare. Dans les vallées, les températures varient selon les latitudes.

Sous les tropiques, dans les pays comme le Pérou, la Bolivie, l'Équateur, la Colombie, le Venezuela, le Guatemala et le Mexique, les températures varient essentiellement en fonction de l'altitude.

Du nord du Pérou au centre du Mexique, il existe deux saisons : **La Seca** (*la sé-ka*) (la saison sèche), de novembre à mai, et **la de Las Lluvias** (*la dé las you-bias*) (la saison des pluies), pendant laquelle des ouragans peuvent balayer les côtes.

Dans ces régions, pendant la saison des pluies, il peut pleuvoir assez abondamment, parfois pendant plusieurs jours d'affilée, mais l'air reste chaud.

Pendant la saison sèche, le soleil brille presque partout (sauf dans certains endroits, comme Lima, la capitale du Pérou, qui est ombragée par une couche de nuages pendant de nombreux mois de l'année – pratique lorsqu'on veut se protéger du soleil.)

Régler les questions de passeport et de visa

Pour aller en Espagne, comme dans n'importe quel pays de l'Union européenne, il vous suffit d'emporter votre carte d'identité. En ce qui concerne l'Amérique latine, vous allez devoir remplir certaines formalités, qui varient d'un pays à l'autre. Renseignez-vous auprès d'une agence de voyages ou du consulat du pays de destination pour connaître les documents et les traitements médicaux requis.

Ayez toujours votre carte d'identité ou votre passeport sur vous, même si vous n'en voyez pas l'utilité a priori. Vous en aurez besoin en cas d'urgence ou de problème d'argent.

S'il vous faut un visa, commencez par vous procurer un passeport. C'est sur le passeport que le visa (autorisation d'entrer dans un pays) est imprimé. Le visa n'est pas nécessaire dans tous les pays d'Amérique latine.

Pour tout ce qui concerne les questions d'argent, reportez-vous au chapitre 11.

Expressions clés

la hora de despegue	la o-ra dé dés-pé-gué	l'heure de décollage
la fecha de llegada	la fé-tcha dé yé-ga-da	la date d'arrivée
la fecha de partida	la fé-tcha dé par-ti-da	la date de départ
billete de ida	Bi-yé-té dé i-da	aller simple
billete de ida y vuelta	Bi-yé-té dé i-da i bouél-ta	aller-retour
vuelo directo	boué-lo di-rék-to	vol direct
vuelo con escalas	boué-lo kon és-ka-las	vol avec escales

Le verbe ir : aller

Ir (*ir*) (aller) est un verbe très irrégulier – au point que vous devez me croire sur parole si je vous dis que le tableau ci-dessous indique sa conjugaison au présent. Comme vous pouvez le voir, ça ne va pas de soi…

Conjugaison	*Prononciation*
yo voy	yo boï
tú vas	tou bas
él, ella, ello, uno, usted va	él, <u>é</u>-ya, <u>é</u>-yo, <u>ou</u>-no, ous-<u>téd</u> ba
nosotros vamos	no-<u>so</u>-tros <u>ba</u>-mos
vosotros váis	bo-<u>so</u>-tros baïs
ellos, ellas, ustedes van	<u>é</u>-yos, <u>é</u>-yas, ous-<u>té</u>-dés ban

Voyager au futur proche : ir a viajar

Le verbe **ir** (*ir*) (aller), comme le verbe français « aller », peut être utilisé dans la construction du futur proche. **Voy a viajar** (*boï a bia-<u>rhar</u>*) signifie « Je vais voyager ». Le verbe ir, conjugué au présent, suivi du verbe **viajar** à l'infinitif correspond donc au futur proche du verbe **viajar**.

Conjugaison	*Prononciation*
yo voy a viajar	yo boï a bia-<u>rhar</u>
tú vas a viajar	tou bas a bia-<u>rhar</u>
él, ella, ello, uno, usted va a viajar	él, <u>é</u>-ya, <u>é</u>-yo, <u>ou</u>-no, ous-<u>téd</u> ba a bia-<u>rhar</u>
nosotros vamos a viajar	no-<u>so</u>-tros <u>ba</u>-mos a bia-<u>rhar</u>
vosotros váis a viajar	bo-<u>so</u>-tros <u>ba</u>ïs a bia-<u>rhar</u>
ellos, ellas, ustedes van a viajar	<u>é</u>-yos, <u>é</u>-yas, ous-<u>té</u>-dés ban a bia-<u>rhar</u>

Entraînez-vous à employer le futur proche à l'aide des phrases suivantes :

- ✔ **Voy a viajar en avión.** (*boï a bia-rhar én a-bion*) (Je vais voyager en avion.)

- ✔ **Ellos van a viajar en autobús.** (*é-yos ban a bia-rhar én aou-to-Bous*) (Ils vont voyager en bus.)

- ✔ **Vamos a viajar en tren.** (*ba-mos a bia-rhar én trén*) (Nous allons voyager en train.)

- ✔ **Tú vas a ir en avión.** (*tou bas a ir én a-bion*) (Tu vas y aller en avion.)

- ✔ **Voy a ir a comer.** (*boï a ir a ko-mér*) (Je vais aller manger.)

- ✔ **Todos nos vamos a divertir.** (*to-dos nos ba-mos a di-bér-tir*) (Nous allons tous nous amuser.)

- ✔ **Va a llegar cansado.** (*ba a yé-gar kan-sa-do*) (Il va arriver fatigué.)

- ✔ **Va a querer volver.** (*ba a ké-rér bol-bér*) (Il va vouloir rentrer.)

- ✔ **Nosotros vamos a llevar las maletas.** (*no-so-tros ba-mos a yé-bar las ma-lé-tas*) (Nous allons porter les valises.)

Faire les bagages : voyagez léger !

Réfléchissez à ce que vous devez emporter.

Quand vous irez en ville, notamment lorsque vous visiterez des églises, vous devrez porter de préférence un pantalon ou une jupe. Gardez les shorts pour la plage si vous voulez être dans le ton.

Mesdames, pensez à vous couvrir les épaules dans les églises. N'oubliez pas que l'Espagne est un pays très catholique.

Emmener votre ordinateur portable

Entre les moments de loisirs, vous devrez peut-être vous servir de votre ordinateur portable. Le travail n'arrête jamais, même quand on est en vacances ! Voici donc quelques phrases qui vous aideront à parler de votre portable :

- ✔ **Voy a llevar conmigo el ordenador portátil.** (*boï a yé-bar kon-mi-go él or-dé-na-dor por-ta-til*) (Je vais emporter [avec moi] l'ordinateur portable.)

- ✔ **No te olvides las baterías.** (*no té ol-bi-dés las Ba-té-rias*) (N'oublie pas les batteries.)

- ✔ **¿ Vas a llevar el adaptador de corriente ?** (*bas a yé-bar él a-dap-ta-dor dé ko-Rién-té*) (Tu vas emporter l'adaptateur [de courant] ?)

- ✔ **Necesitamos el adaptador para cargar la batería.** (*né-cé-si-ta-mos él a-dap-ta-dor pa-ra kar-gar la Ba-té-ria*) (Nous avons besoin de l'adaptateur pour charger la batterie.)

Mots clés

el ordenador portátil	él or-dé-na-dor por-ta-til	l'ordinateur portable
la batería	la Ba-té-ria	la batterie
la corriente	la ko-Rién-té	le courant
cargar	kar-gar	charger

Chapitre 12

Au secours ! Gérer les urgences

. . . .

Dans ce chapitre :

▶ Demander de l'aide

▶ Communiquer à l'hôpital

▶ Discuter avec le médecin

▶ Avoir affaire à la police

▶ Préserver vos droits à l'étranger

. . . .

« Toujours prêt ! » Cette devise scoute doit aussi être la vôtre. Soyez prêt à gérer les urgences, surtout dans un pays où on ne parle pas votre langue maternelle. La barrière de la langue complique considérablement la situation. En cas d'urgence, vous devez comprendre et vous faire comprendre.

Dans ce chapitre, vous allez apprendre à vous débrouiller en cas de problème de santé – bras cassé ou grippe intestinale – d'accident de voiture ou d'infraction nécessitant le recours à un avocat ou au consulat. Pour parer à toutes ces éventualités, vous devez d'abord connaître des mots importants, qui vous permettront d'obtenir de l'aide rapidement.

Crier à l'aide

Si vous avez envie de crier à l'aide, c'est que vous n'êtes pas en position de feuilleter votre dictionnaire pour trouver le mot juste. Il serait donc sage de votre part de mémoriser dès maintenant les quelques mots suivants.

Voici diverses façons de crier votre détresse :

- ✔ **¡ Socorro !** (*so-ko-Ro*) (Au secours !)
- ✔ **¡ Auxilio !** (*aou-xi-lio*) (À l'aide !)
- ✔ **¡ Ayúdeme !** (*a-you-dé-mé*) (Aidez-moi !)
- ✔ **¡ Incendio !** (*in-cén-dio*) (Au feu !)
- ✔ **¡ Inundación !** (*i-noun-da-cion*) (Une inondation !)
- ✔ **¡ Temblor !** (*tém-Blor*) (Une secousse sismique !)
- ✔ **¡ Terremoto !** (*té-Ré-mo-to*) (Un tremblement de terre !)
- ✔ **¡ Maremoto !** (*ma-ré-mo-to*) (Un raz-de-marée !)

Pour accélérer le mouvement, employez l'un ou l'autre des deux mots suivants :

- ✔ **¡ Rápido !** (*ra-pi-do*) (Vite !)
- ✔ **¡ Dense prisa !** (*dén-sé pri-sa*) (Dépêchez-vous !)

Gérer les problèmes de santé

Lorsqu'une maladie ou un accident met votre santé en danger, vous risquez de paniquer, ce qui est bien normal. Nous allons donc vous donner quelques repères pour vous aider à gérer ce genre de problèmes de la façon la plus calme et la plus prudente possible.

La plupart des hispanophones sont des individus aimables et bienveillants, qui pardonnent aisément les fautes de langue et rendent volontiers service aux étrangers. Parfois, ils en font même un peu trop, au point qu'il devient difficile de leur tenir tête sans les froisser ni douter de leur bonne volonté.

Pour faire preuve d'autant d'amabilité et de gentillesse, inspirez-vous des phrases suivantes :

- ✔ **¡ Pobrecito !, ¿ le ayudo ?** (*po-Bré-ci-to lé a-you-do*) (Le pauvre ! Puis-je vous aider ?)
- ✔ **¡ Vengan todos, a ayudar !** (*bén-gan to-dos a a-you-dar*) (Venez tous, aidons-le !)

Si quelqu'un vous tient ce genre de propos alors que vous n'avez pas besoin d'aide, répondez poliment mais avec fermeté :

- ✔ **Por favor, estoy bien, no me ayude.** (*por fa-bor és-toï Bién no mé a-you-dé*) (S'il vous plaît, je vais bien, ne m'aidez pas.)

- ✔ **Muchas gracias, le agradezco, pero prefiero estar solo.** (*mou-tchas gra-cias lé a-gra-déc-ko pé-ro pré-fié-ro és-tar so-lo*) (Merci beaucoup, je vous suis reconnaissant, mais je préfère être seul.)

- ✔ **Estoy muy bien, gracias, no necesito ayuda.** (*és-toï mouï Bién gra-cias no né-cé-si-to a-you-da*) (Je vais très bien, merci, je n'ai pas besoin d'aide.)

- ✔ **Usted es muy amable, gracias, no me ayude, por favor.** (*ous-téd és mouï a-ma-Blé gra-cias no mé a-you-dé por fa-bor*) (Vous êtes très aimable, merci, ne m'aidez pas, je vous en prie.)

- ✔ **Ustedes son muy amables, pero estoy bien.** (*ous-té-dés son mouï a-ma-Blés pé-ro és-toï Bién*) (Vous êtes très aimables, mais je vais bien.)

 Si vous demandez un médecin qui parle français, vérifiez que son français est meilleur que votre espagnol avant de le suivre dans son cabinet. Si vous avez des difficultés à vous faire comprendre, quelle que soit la langue dans laquelle vous vous exprimiez, n'hésitez pas à demander un autre médecin.

Si vous êtes tenu de vous exprimer en espagnol, faites l'effort de parler lentement. Vous vous ferez comprendre plus facilement. N'oubliez pas que si vous avez un problème, les autres feront de leur mieux pour vous. Ne vous souciez pas des questions d'argent. Vous aurez le temps de vous en préoccuper lorsque vous serez hors de danger. Laissez votre entourage vous aider. Si vous êtes hospitalisé, faites confiance à ceux qui s'occupent de vous et soyez patient. Et sachez que les procédures peuvent varier d'un établissement à l'autre selon le personnel et le matériel disponible.

Si vous tombez malade pendant le voyage, demandez conseil à la réception de votre hôtel.

Le verbe ayudar : aider

Le verbe **ayudar** (*a-you-dar*) (aider) est, comme vous devez vous en douter, très utile. C'est un verbe régulier en **-ar** (*ar*). Il est donc très facile à conjuguer. Le voici au présent à toutes les personnes :

Conjugaison	Prononciation
yo ayudo	yo a-<u>you</u>-do
tú ayudas	tou a-<u>you</u>-das
él, ella, ello, uno, usted ayuda	él, <u>é</u>-ya, <u>é</u>-yo, <u>ou</u>-no, ous-<u>téd</u> a-<u>you</u>-da
nosotros ayudamos	no-<u>so</u>-tros a-you-<u>da</u>-mos
vosotros ayudáis	bo-<u>so</u>-tros a-you-<u>daï</u>s
ellos, ellas, ustedes ayudan	<u>é</u>-yos, <u>é</u>-yas, ous-<u>té</u>-dés a-<u>you</u>-dan

Les phrases suivantes vous aideront à communiquer aussi bien avec les personnes que vous ne connaissez pas (médecin ou passants) qu'avec les enfants et les personnes dont vous êtes plus proche.

Avec les inconnus, vous devez utiliser le vouvoiement. Eux aussi vous vouvoieront. Souvenez-vous qu'en espagnol le « vous » de politesse correspond à **usted**, au singulier, et à **ustedes**, au pluriel. Vous devez donc utiliser la troisième personne du singulier ou du pluriel.

✔ **¿ Le ayudo ?** (*lé a-<u>you</u>-do*) (Puis-je vous aider ?)

✔ **Sí, ayúdeme a pedir una ambulancia.** (*si a-<u>you</u>-dé-mé a pé-<u>dir</u> <u>ou</u>-na am-Bou-<u>lan</u>-cia*) (Oui, aidez-moi à appeler une ambulance.)

✔ **Espere. Le van a ayudar a cargar al herido.** (*és-<u>pé</u>-ré lé ban a a-you-<u>dar</u> a kar-<u>gar</u> al é-<u>ri</u>-do*) (Attendez. Ils vont vous aider à charger le blessé.)

✔ **Ayude al enfermo a bajar de la camilla.** (*a-you-dé al én-fér-mo a Ba-rhar dé la ka-mi-ya*) (Aidez le malade à descendre de la civière.)

✔ **¡ Dese prisa !** (*dé-sé pri-sa*) (Dépêchez-vous !)

Mots clés

el enfermo	él én-fér-mo	le malade
la enferma	la én-fér-ma	la malade
la camilla	la ka-mi-ya	la civière
cargar	kar-gar	charger

Vous pouvez tutoyer les personnes que vous connaissez ou les enfants. Dans ce cas, utilisez la deuxième personne du singulier, comme en français.

✔ **¿ Te ayudo ?** (*té a-you-do*) (Puis-je t'aider ?)

✔ **Sí, ayúdame.** (*si a-you-da-mé*) (Oui, aide-moi.)

✔ **Te busco un médico.** (*té Bous-ko oun mé-di-ko*) (Je vais te chercher un médecin.)

✔ **¡ Date prisa !** (*da-té pri-sa*) (Dépêche-toi !)

✔ **¡ Sujétame !** (*sou-rhé-ta-mé*) (Appuie-toi sur moi !)

Les pronoms réfléchis

Les pronoms qu'on utilise en parlant de quelqu'un à qui il est arrivé quelque chose sont les *pronoms réfléchis*. Le tableau 16.1 indique quel pronom employer lorsque la personne qu'il représente est le sujet du verbe.

Tableau 12.1 : Pronoms réfléchis

Pronom	Traduction
me (*mé*)	me
te (*té*)	te

Pronom	Traduction
le (*lé*)	lui ; vous [vouvoiement de politesse]
nos (*nos*)	nous
os (*os*)	vous
les (*lés*)	leur ; vous [vouvoiement de politesse]

Bon, comment et quand employer ces pronoms ? Pas de panique ! Quand on vous dit qu'on va vous porter secours...

 En espagnol, « il a mal à la jambe » se dit **le duele la pierna** (*lé doué-lé la piér-na*) (littéralement : la jambe lui fait mal). Le pronom réfléchi **le** correspond au français « lui » dans l'expression « ... lui fait mal ». Seulement en français, on dit plus volontiers « il a mal à... ».

Phrases exprimant la douleur

Quand vous avez mal, vous avez envie de pouvoir le dire aux autres pour qu'ils contribuent à vous soulager. Les phrases suivantes vous aideront à exprimer votre douleur. Il suffit souvent qu'on emporte un parapluie pour qu'il ne pleuve pas. Alors entraînez-vous à parler de la douleur en espagnol et peut-être ne vous ferez-vous jamais mal (du moins pas dans les pays hispanophones !).

- ✔ **Me duele la espalda.** (*mé doué-lé la és-pal-da*) (J'ai mal au dos.)
- ✔ **¿ Le duele la cabeza ?** (*lé doué-lé la ka-Bé-ça*) (Avez-vous mal à la tête ?) [Vouvoiement de politesse]
- ✔ **Les duele todo.** (*lés doué-lé to-do*) (Ils ont mal partout.)
- ✔ **Nos duelen las manos** (*nos doué-lén las ma-nos*) (Nous avons mal aux mains.)
- ✔ **¿ Te duele aquí ?** (*té doué-lé a-kí*) (Est-ce que tu as mal ici ?)

Mots clés

el médico	él <u>mé</u>-di-ko	le médecin
la pierna	la pié<u>r</u>-na	la jambe
la fractura	la frak-<u>tou</u>-ra	la fracture
la radiografía	la ra-dio-gra-<u>fia</u>	la radiographie
la escayola	la és-ka-<u>yo</u>-la	le plâtre
escayolar	és-ka-yo-<u>lar</u>	plâtrer
el analgésico	él a-nal-<u>rhé</u>-si-ko	l'analgésique

Demander de l'aide en cas de blessure

Voici quelques exemples de la façon dont vous pouvez demander de l'aide pour quelqu'un qui saigne :

- ✔ **¡ Hay una emergencia !** (*aï <u>ou</u>-na é-mér-<u>rhén</u>-cia*) (Il y a une urgence !)
- ✔ **¡ Traigan un médico !** (*<u>traï</u>-gan oun <u>mé</u>-di-ko*) (Allez chercher un médecin !)
- ✔ **¡ Traigan una ambulancia !** (*<u>traï</u>-gan <u>ou</u>-na am-Bou-<u>lan</u>-cia*) (Appelez une ambulance !)
- ✔ **Lo más rápido posible.** (*lo mas <u>ra</u>-pi-do po-<u>si</u>-Blé*) (Le plus vite possible.)

Mots clés

la cabeza	la ka-<u>Bé</u>-ça	la tête
la emergencia	la é-mér-<u>rhén</u>-cia	l'urgence
la herida	la é-<u>ri</u>-da	la blessure ; la plaie
los puntos de sutura	los <u>poun</u>-tos dé sou-<u>tou</u>-ra	les points de suture

✔ **Tiene una herida.** (*tié-né <u>ou</u>-na é-<u>ri</u>-da*) (Vous êtes blessé.) [Vouvoiement de politesse]

✔ **Necesita puntos de sutura.** (*né-cé-<u>si</u>-ta <u>poun</u>-tos dé sou-<u>tou</u>-ra*) (Il vous faut des points de suture.) [Vouvoiement de politesse]

Refermer la plaie

Si on vous fait des points de suture, vous aurez besoin de connaître les phrases suivantes :

✔ **Me duele mucho.** (*mé dou<u>é</u>-lé <u>mou</u>-tcho*) (J'ai très mal.)

✔ **Le vamos a poner anestesia local.** (*lé <u>ba</u>-mos a po-<u>nér</u> a-nés-<u>té</u>-sia lo-<u>kal</u>*) (Nous allons vous faire une anesthésie locale.)

✔ **Ya se pasó el dolor.** (*ya se pa-<u>so</u> él do-<u>lor</u>*) (La douleur est passée.)

Mots clés

la anestesia	la a-nés-<u>té</u>-sia	l'anesthésie
sangrar	san-<u>grar</u>	saigner
herido ; herida	é-<u>ri</u>-do ; é-<u>ri</u>-da	blessé ; blessée
el dolor	él do-<u>lor</u>	la douleur

Dire où vous avez mal

Voici quelques phrases qui vous permettront de dire à votre entourage où vous avez mal :

✔ **Me sangra la nariz.** (*mé <u>san</u>-gra la na-<u>riç</u>*) (Je saigne du nez.)

✔ **No puedo ver.** (*no pou<u>é</u>-do bér*) (Je ne vois plus.)

✔ **Me entró algo en el ojo.** (*mé én-<u>tro</u> <u>al</u>-go én él <u>o</u>-rho*) (J'ai quelque chose dans l'œil.)

✔ **Me torcí el tobillo.** (*mé tor-ci él to-<u>Bi</u>-yo*) (Je me suis tordu la cheville.)

✔ **Se rompió el brazo derecho.** (*sé rom-pio él Bra-ço dé-ré-tcho*) (Il s'est cassé le bras droit.)

✔ **La herida está en el antebrazo.** (*la é-ri-da és-ta én él an-té-Bra-ço*) (La blessure se trouve sur l'avant-bras.)

✔ **Le duele la muñeca izquierda.** (*lé doué-lé la mou-gné-ka iç-kiér-da*) (Il a mal au poignet gauche.)

✔ **Se cortó el índice.** (*sé kor-to él in-di-cé*) (Il s'est coupé l'index.)

✔ **Tiene una tortícolis.** (*tié-né ou-na tor-ti-ko-lis*) (Elle a un torticolis.)

✔ **Ahora ya no sale sangre.** (*a-o-ra ya no sa-lé san-gré*) (Ça ne saigne plus, maintenant.)

✔ **Usted tiene la tensión muy alta.** (*ous-téd tié-né la tén-sion mouï al-ta*) (Vous avez une tension très élevée.)

✔ **He sentido náuseas.** (*é sén-ti-do naou-sé-as*) (J'ai eu des nausées.)

Mots clés

la cita	la çi-ta	le rendez-vous
ver	bér	voir
golpearse	gol-pé-ar-sé	se cogner
el mareo	él ma-ré-o	le vertige
le observación	la oB-sér-ba-cion	l'observation

Décrire les symptômes

Le tableau 6.2 recense les principaux termes médicaux et les différentes parties du corps, que vous aurez besoin de connaître pour décrire vos symptômes.

Tableau 6.2 : Termes à connaître en cas d'urgence médicale

Espagnol	Prononciation	Français
La tête et le cou		
el ojo	*él o-rho*	l'œil
la boca	*la bo-ka*	la bouche
la lengua	*la lén-goua*	la langue
la oreja	*la o-ré-rha*	l'oreille
la nariz	*la na-riç*	le nez
el rostro	*él ros-tro*	le visage
la barba	*la Bar-Ba*	la barbe
el bigote	*él Bi-go-té*	la moustache
el cuello	*él koué-yo*	le cou
las amígdalas	*las a-mig-da-las*	les amygdales
Le torse		
el hombro	*él om-Bro*	l'épaule
el corazón	*él ko-ra-çon*	le cœur
el pulmón	*él poul-mon*	le poumon
el estómago	*él és-to-ma-go*	l'estomac
el intestino	*él in-tés-ti-no*	l'intestin
el hígado	*él i-ga-do*	le foie
el riñón	*él ri-gnon*	le rein
Les bras et les mains		
el brazo	*él Bra-ço*	le bras
el antebrazo	*él an-té-Bra-ço*	l'avant-bras
la muñeca	*la mou-gné-ka*	le poignet
la mano	*la ma-no*	la main
el dedo	*él dé-do*	le doigt
el pulgar	*él poul-gar*	le pouce
el dedo índice	*él dé-do in-di-cé*	l'index

Espagnol	Prononciation	Français
el dedo del medio	*él dé-do dél mé-dio*	le majeur
el dedo anular	*él dé-do a-nou-lar*	l'annulaire
el dedo meñique	*él dé-do mé-gni-ké*	l'auriculaire
Les jambes et les pieds		
el muslo	*él mous-lo*	la cuisse
la pierna	*la piér-na*	la jambe
el pie	*él pié*	le pied
el dedo del pie	*él dé-do dél pié*	le doigt de pied
el tobillo	*él to-Bi-yo*	la cheville
la pantorrilla	*la pan-to-Ri-ya*	le mollet
la planta del pie	*la plan-ta dél pié*	la plante du pied
Termes médicaux de base		
la salud	*la sa-loud*	la santé
sano	*sa-no*	sain
enfermo	*én-fér-mo*	malade
derecho	*dé-ré-tcho*	droit
izquierdo	*iç-kiér-do*	gauche
la cirugía	*la çi-rou-rhia*	la chirurgie
la herida	*la é-ri-da*	la blessure
la orina	*la o-ri-na*	l'urine
la sangre	*la san-gré*	le sang
la tensión	*la tén-sion*	la tension
el estornudo	*él és-tor-nou-do*	l'éternuement
la náusea	*la naou-sé-a*	la nausée
el estreñimiento	*él és-tré-gni-mién-to*	la constipation
las deposiciones	*las dé-po-si-cio-nés*	les selles
la receta	*la ré-cé-ta*	l'ordonnance
el medicamento	*él mé-di-ka-mén-to*	le médicament
la farmacia	*la far-ma-cia*	la pharmacie

Espagnol	Prononciation	Français
el jarabe	*él rha-<u>ra</u>-Bé*	le sirop

 Quand vous éternuez dans un pays hispano-phone, vous n'avez jamais le temps de vous excuser. Quelqu'un vous dit immédiatement : ¡ **Salud !** (*sa-<u>loud</u>*) (À vos souhaits !). Contentez-vous de répondre : ¡ **Gracias !** (*<u>gra</u>-cias*) (Merci !)

Affronter le dentiste

Si vous avez un problème dentaire, vérifiez que le dentiste que vous avez choisi de consulter a tout l'équipement nécessaire pour vous soigner. En Amérique latine, le dentiste coûte beaucoup moins cher qu'en Europe, mais ce n'est pas forcément mauvais signe.

Les phrases suivantes vous seront utiles si vous devez aller chez le dentiste dans un pays hispanophone :

- **Necesito un dentista.** (*né-cé-<u>si</u>-to oun dén-<u>tis</u>-ta*) (J'ai besoin d'un dentiste.)

- ¿ **Me puede recomendar un dentista ?** (*mé poué-dé ré-ko-mén-<u>dar</u> oun dén-<u>tis</u>-ta*) (Pouvez-vous me recommander un dentiste ?)

- **Doctor me duele un diente.** (*dok-<u>tor</u> mé doué-lé oun di<u>én</u>-té*) (Docteur, j'ai mal à une dent.)

- **Tiene una caries.** (*ti<u>é</u>-né <u>ou</u>-na <u>ka</u>-riés*) (Vous avez une carie.)

- **Me rompí una muela.** (*mé rom-<u>pi</u> <u>ou</u>-na mou<u>é</u>-la*) (Je me suis cassé une molaire.)

- **Le pondré anestesia.** (*lé pon-<u>dré</u> a-nés-<u>té</u>-sia*) (Je vais vous faire une anesthésie.)

- **Le voy a empastar la caries.** (*lé boï a ém-pas-<u>tar</u> la <u>ka</u>-riés*) (Je vais vous faire un plombage.)

- **Le voy a sacar la muela.** (*lé boï a sa-<u>kar</u> la mou<u>é</u>-la*) (Je vais vous arracher la molaire.)

- **Le voy a poner un puente.** (*lé boï a po-<u>nér</u> oun pou<u>én</u>-té*) (Je vais vous mettre un bridge.)

✔ **Le voy a poner una corona.** (*lé boï a po-nér ou-na ko-ro-na*) (Je vais vous mettre une couronne.)

Mots clés

el diente	él dién-té	la dent
la muela	la moué-la	la molaire
la caries	la ka-riés	la carie
el dentista	el dén-tis-ta	le dentiste
dolor de muelas	do-lor dé moué-las	mal de dents

Penser au remboursement des soins

Si vous allez chez le médecin ou le dentiste, pensez à demander un justificatif pour votre assurance maladie. Voici quelques phrases qui vous aideront à régler les problèmes d'assurance.

✔ **¿ Me puede dar un recibo para el seguro ?** (*mé poué-dé dar oun ré-ci-Bo pa-ra él sé-gou-ro*) (Pouvez-vous me donner un reçu pour mon assurance ?)

✔ **Este papel es para el seguro de enfermedad.** (*és-té pa-pél és pa-ra él sé-gou-ro dé én-fér-mé-dad*) (Ce papier est pour votre assurance maladie.)

✔ **¿ Tiene mutua ?** (*tié-né mou-toua*) (Vous avez une mutuelle ?)

Obtenir de l'aide en cas de problème juridique

Même si vous n'avez jamais eu la moindre activité illégale, vous n'êtes pas à l'abri d'un accident. À l'étranger, vous pouvez tout à fait enfreindre une loi sans le savoir. Dans ce cas, vous devrez faire appel au consulat ou à un avocat, qui défendra vos droits.

N'oubliez pas que chaque pays a son propre système juridique. Or, lorsque vous êtes à l'étranger, la législation du pays dans lequel vous vous trouvez l'emporte sur celle de votre propre pays. Sachez notamment qu'en Amérique latine la présomption d'innocence n'existe pas. En cas de délit, vous êtes présumé coupable.

En cas de problème, essayez d'être patient tout en restant ferme. Vous ne connaissez pas les pratiques ni les procédures juridiques du pays dans lequel vous vous trouvez. De même, l'administration de ce pays ne sait pas nécessairement ce qui se passe chez vous. Prenez le temps de dialoguer.

Pour gérer la situation le mieux possible, faites-vous assister par un représentant du consulat de votre pays. Il prendra vos intérêts bien plus à cœur qu'un avocat ou que la police locale. Pour plus de sécurité, notamment en Amérique latine, dès que vous fixez les dates de votre voyage, regardez où se trouve le consulat de votre pays et faites-vous connaître à votre arrivée.

Vous pouvez aussi vous renseigner sur place :

- ✔ **¿ Dónde está el consulado de Francia ?** (*<u>don</u>-dé és-<u>ta</u> él kon-sou-<u>la</u>-do de <u>fran</u>-cia*) (Où se trouve le consulat de France ?)
- ✔ **¿ Hay un abogado que hable francés ?** (*aï oun a-Bo-<u>ga</u>-do ké <u>a</u>-Blé fran-cé<u>s</u>*) (Y a-t-il un avocat qui parle français ?)

N'hésitez pas à demander un avocat qui parle français, mais vérifiez que son français est meilleur que votre espagnol avant d'accepter ses services. Ne confiez pas votre défense à n'importe qui. Si vous avez des difficultés à vous faire comprendre, prenez un autre avocat.

Haut les mains ! Bien réagir en cas de vol

Si quelqu'un vous vole, attirez l'attention des passants grâce aux locutions suivantes :

- ✔ **¡ Un robo !** (*oun ro-Bo*) (Au vol !)
- ✔ **¡ Un asalto !** (*oun a-sal-to*) (Un hold-up !)
- ✔ **¡ Atrápenlo !** (*a-tra-pén-lo*) (Attrapez-le !)
- ✔ **¡ Policía !** (*po-li-cia*) (Police !)

Il faut espérer que vous n'aurez jamais à les utiliser, mais si vous êtes volé ou agressé, les phrases suivantes vous seront utiles.

- ✔ **¡ Llamen a la policía !** (*ya-mén a la po-li-cia*) (Appelez-la police !)
- ✔ **¡ Me robó la cartera !** (*me ro-Bo la kar-té-ra*) (Il/Elle m'a volé mon portefeuille !)
- ✔ **Haga una denuncia a la policía.** (*a-ga ou-na dé-noun-cia a la po-li-cia*) (Portez plainte à la police.)

Mots clés

atacar	a-ta-kar	attaquer
robar	ro-Bar	voler
oscuro	os-kou-ro	foncé
claro	kla-ro	clair
la cartera	la kar-té-ra	le portefeuille
la tarjeta de crédito	la tar-rhé-ta dé kré-di-to	la carte de crédit
la denuncia	la dé-noun-cia	la plainte

Porter plainte

Si vous êtes victime d'un vol, inspirez-vous des phrases suivantes pour décrire le coupable à la police :

- **Era un hombre bajo, corpulento.** (_é-ra_ oun _om_-Bré _ba_-rho kor-pou-_lén_-to) (C'était un homme petit, corpulent.)
- **Tenía cabello oscuro y barba.** (té-_nia_ ka-_Bé_-yo os-_kou_-ro i _Bar_-Ba) (Il avait les cheveux bruns et une barbe.)
- **Vestía vaqueros y camisa blanca.** (bes-_tia_ ba-_ké_-ros i ka-_mi_-sa _Blan_-ka) (Il portait un jean et une chemise blanche.)
- **Tendrá unos cuarenta años.** (tén-_dra_ _ou_-nos koua-_rén_-ta _a_-gnos) (Il doit avoir une quarantaine d'années.)
- **Iba con una mujer delgada.** (_i_-Ba kon _ou_-na mou-_rhér_ dél-_ga_-da) (Il était avec une femme mince.)
- **Era alta, rubia, de ojos claros.** (_é_-ra _al_-ta _rou_-Bia dé _o_-rhos _kla_-ros) (Elle était grande, blonde avec des yeux clairs.)

Mots clés

el choque	él _tcho_-ké	la collision
la velocidad	la bé-lo-ci-_dad_	la vitesse
despacio	dés-_pa_-cio	lentement
rápido	_ra_-pi-do	vite
romper	rom-_pér_	casser

Le verbe buscar : chercher

Buscar (Bous-kar) (chercher) est un verbe régulier en -ar (ar), dont le radical est busc- (Bousk). Au présent, il se conjugue de la manière suivante :

Conjugaison	Prononciation
yo busco	yo <u>Bous</u>-ko
tú buscas	tou <u>Bous</u>-kas
él, ella, ello, uno, usted busca	él, <u>é</u>-ya, <u>é</u>-yo, <u>ou</u>-no, ous-<u>téd</u> <u>Bous</u>-ka
nosotros buscamos	no-<u>so</u>-tros Bous-<u>ka</u>-mos
vosotros buscáis	bo-<u>so</u>-tros Bous-<u>ka</u>ïs
ellos, ellas, ustedes buscan	<u>é</u>-yos, <u>é</u>-yas, ous-<u>té</u>-dés <u>Bous</u>-kan

Entraînez-vous à employer le verbe buscar à l'aide des phrases suivantes :

- ✔ **Buscan un mecánico.** (<u>Bous</u>-kan oun mé-<u>ka</u>-ni-ko) (Ils cherchent un mécanicien.)
- ✔ **Ellos buscan un médico.** (<u>é</u>-yos <u>Bous</u>-kan oun <u>mé</u>-di-ko) (Ils cherchent un médecin.)
- ✔ **Buscas un lugar donde descansar.** (<u>Bous</u>-kas oun lou-<u>gar</u> <u>don</u>-dé dés-kan-<u>sar</u>) (Tu cherches un endroit où te reposer.)
- ✔ **Ya no busca, encontró un abogado.** (ya no <u>Bous</u>-ka én-kon-<u>tro</u> oun a-Bo-<u>ga</u>-do) (Elle ne cherche plus, elle a trouvé un avocat.)
- ✔ **Buscan un sitio y no encuentran.** (<u>Bous</u>-kan oun <u>si</u>-tio i no én-kou<u>én</u>-tran) (Ils cherchent une place et ils n'en trouvent pas.)

Mots clés

el mecánico	él mé-<u>ka</u>-ni-ko	le mécanicien
arrancar	a-Ran-<u>kar</u>	démarrer
el motor	él mo-<u>tor</u>	le moteur
revisar	ré-bi-<u>sar</u>	réviser ; examiner
la batería	la Ba-té-<u>ria</u>	la batterie
las bujías	las Bou-<u>rhias</u>	les bougies

Chapitre 13

Dix expressions espagnoles fréquentes

• •

Dans ce chapitre :

▶ Expressions qui vous feront passer pour un hispanophone

▶ Expressions que vous entendrez tous les jours

• •

Dans ce chapitre, vous trouverez en réalité plus de dix expressions que les hispanophones emploient très souvent dans la vie courante.

¿ Qué tal ?

¿ **Qué tal ?** (*ké tal*) (Comment ça va ?) est une expression que les hispanophones utilisent à chaque fois qu'ils se disent bonjour. Facile à prononcer, elle donnera immédiatement l'impression que vous parlez l'espagnol couramment.

¿ Quiubo ?

¿ **Quiubo ?** (*kiou-Bo*) (Quoi de neuf ?) est une expression semblable à ¿ **Qué tal ?** mais encore plus familière. Elle ne s'emploie qu'avec les personnes qu'on connaît bien et avec lesquelles on a des relations amicales.

Cette expression latino-américaine, que l'on entend essentiellement au Chili, est une contraction de ¿ **Qué hubo ?** (*ké ou-Bo*) (Que s'est-il passé ?) Pour vraiment passer pour un autochtone, dites *kiou-Bo*, comme s'il n'y avait pas de diphtongue.

¿ Qué pasó ?

Au Mexique, on entend fréquemment ¿ **Qué pasó ?** (*ké pa-so*) (Quoi de neuf ? [littéralement : que s'est-il passé ?])

Au début, cette expression surprend. Une personne en rencontre une autre et lui crie ¿ **Qué pasó ?**, comme si, après avoir été séparées par un événement indépendant de leur volonté, elles voulaient toutes deux savoir ce qui s'est passé. En réalité, cette expression est à prendre au sens large.

Même les personnes qui se connaissent à peine et ne se sont pas vues depuis des années peuvent se saluer de cette façon. Si vous voulez donner l'impression d'avoir toujours vécu au Mexique, ne dites ¿ **Qué pasó ?** qu'aux personnes que vous avez déjà rencontrées au moins une fois.

¿ Cómo van las cosas ?

¿ **Cómo van las cosas ?** (*ko-mo ban las ko-sas*) (Comment ça va ?) est une expression moins familière, qui s'emploie aussi bien pour manifester un véritable intérêt que pour se saluer quand on s'est déjà croisé une fois.

Dites ¿ **Cómo van las cosas ?** plutôt que ¿ **Quiubo ?** ou ¿ **Qué tal ?** lorsque vous saluez une personne plus âgée que vous ou à laquelle vous voulez témoigner du respect.

¡ Del uno !

¡ **Del uno !** (*dél ou-no*) (Génial ! Excellent ! Très bien !) est une expression courante au Chili, qui s'emploie également dans d'autres pays d'Amérique latine.

Littéralement, elle signifie « de première ». Il existe une petite chanson qui dit :

« ¿ **Cómo estamos ?** », dijo Ramos. (*ko-mo és-ta-mos di-rho ra-mos*) (« Comment allons-nous ? », dit Ramos.)

« ¡ **Del uno !** », dijo Aceituno. (*dél ou-no di-rho a-céï-tou-no*) (« Très bien ! », dit Aceituno.)

Ramos et Aceituno ne sont que des noms de famille utilisés pour la rime. Avec ça, les hispanophones vous prendront à coup sûr pour un des leurs !

¿ Cuánto cuesta ?

¿ **Cuánto cuesta ?** (*kouan-to coués-ta*) (Combien ça coûte ?) est une question que vous pouvez poser lorsque vous faites les magasins et voulez connaître le prix d'un article.

¿ A cuánto ?

¿ **A cuánto ?** (*a kouan-to*) (À combien ?) est une expression semblable à ¿ **Cuánto cuesta ?** Cela dit, elle s'applique généralement à un ensemble de produits, comme dans la phrase ¿ **A cuánto la docena ?** (*a kouan-to la do-cé-na*) (À combien la douzaine ?) Dites-la sur les marchés et vous vous fondrez tout naturellement dans la foule.

¡ Un asalto !

Peut-être trouvez-vous que crier ¡ **Un asalto !** (*oun a-sal-to*) (C'est un hold-up !) au beau milieu d'un marché uniquement pour marchander est un peu exagéré. Néanmoins, cette expression montrera au vendeur que vous connaissez la culture de son pays, ce qui peut vous être utile pour obtenir un bon prix.

¡ **Un asalto !** s'utilise aussi pour exprimer une véritable indignation.

¡ Una ganga !

Les vendeurs emploient souvent l'expression ¡ **Una ganga !** (*ou-na gan-ga*) (Une affaire !) pour vous inciter à acheter. Si vous voulez montrer que vous êtes à l'aise dans la langue, utilisez-la pour vous réjouir d'un achat auprès de votre entourage.

¡ Buen provecho !

¡ **Buen provecho !** (*Bouén pro-bé-tcho*) (Bon appétit ! [littéralement : bon profit !])

Imaginez que vous soyez à table, une cuillère à la main, prêt à vous régaler avec un bon bol de soupe. Pour faire comme les autochtones, à ce moment précis, dites ¡ **Buen provecho !** et tout le monde vous répondra la même chose. Vous pouvez aussi employer cette expression lorsque vous déposez un plateau devant vos invités.

¡ Salud !

L'expression ¡ **Salud !** (*sa-loud*) a deux significations différentes :

- ✔ Elle s'emploie lorsqu'on porte un toast pour dire « Santé ! ».
- ✔ Elle s'emploie aussi lorsque quelqu'un éternue. C'est l'équivalent de « À vos souhaits », à quoi on répond ¡ **Gracias !** (*gra-cias*) (Merci !)

¡ Buen viaje !

¡ **Buen viaje !** (*Bouén bia-rhé*) (Bon voyage !) est une expression que vous entendrez partout dans les gares et les aéroports. Employez-les pour souhaiter un bon voyage à vos proches.

Si vous lisez ce livre pour préparer un voyage dans un pays hisphanophone, alors je vous dis : ¡ **Buen viaje !**

Index alphabétique

Apprenez les langues avec les Nuls

Code : 65 4162 7
ISBN : 2-75400-038-0
Prix : 22, 90 €

Code : 65 0944 2
ISBN : 2-87691-974-5
Prix : 22, 90 €

Disponibles dans la collection Pour les Nuls

Pour être informé en permanence sur notre catalogue et
les dernières nouveautés publiées dans cette collection,
consultez notre site Internet à www.efirst.com

Pour les Nuls **Business**

ISBN	Code Article	Titre	Auteur
2-87691-644-4	65 3210 5	Le CVpour les Nuls	J.-L. Kennedy, A. Dumesnil
2-87691-652-5	65 3261 8	les Lettres d'accompagnement	J.-L. Kennedy, A. Dumesnil
2-87691-651-7	65 3260 0	Les Entretiens de Recrutement	J.-L. Kennedy, A. Dumesnil
2-87691-670-3	65 3280 8	La Vente pour les Nuls	T. Hopkins
2-87691-712-2	65 3439 0	Business Plans pour les Nuls	P. Tifany
2-87691-729-7	65 3486 1	Management pour les Nuls (Le)	B. Nelson
2-87691-770-X	65 3583 5	Le Marketing pour les Nuls	A. Hiam

Pour les Nuls **Pratique**

ISBN	Code Article	Titre	Auteur
2-87691-597-9	65 3059 6	Astrologie pour les Nuls (L')	R. Orion
2-87691-610-X	65 3104 0	Maigrir pour les Nuls	J. Kirby
2-87691-604-5	65 3066 1	Asthme et allergies pour les Nuls	W. E. Berger
2-87691-615-0	65 3116 4	Sexe pour les Nuls (Le)	Dr Ruth
2-87691-616-9	65 3117 2	Relancez votre couple	Dr Ruth
2-87691-617-7	65 3118 0	Santé au féminin pour les Nuls (La)	Dr P. Maraldo
2-87691-618-5	65 3119 8	Se soigner par les plantes	C. Hobbs
2-87691-640-1	65 3188 3	Français correct pour les Nuls (Le)	J.-J. Julaud
2-87691-634-7	65 3180 0	Astronomie pour les Nuls (L')	S. Maran
2-87691-637-1	65 3185 9	Vin pour les Nuls (Le)	Y.-P. Cassetari
2-87691-641-X	65 3189 1	Rêves pour les Nuls (Les)	P. Pierce
2-87691-661-4	65 3279 0	Gérez votre stress pour les Nuls	Dr A. Elking
2-87691-657-6	65 3267 5	Zen ! La méditation pour les Nuls	S. Bodian
2-87691-646-0	65 3226 1	Anglais correct pour les Nuls (L')	C. Raimond
2-87691-681-9	65 3348 3	Jardinage pour les Nuls (Le)	M. MacCaskey

Disponibles dans la collection Pour les Nuls

Pour être informé en permanence sur notre catalogue et
les dernières nouveautés publiées dans cette collection,
consultez notre site Internet à www.efirst.com

Pour les Nuls **Pratique**

ISBN	Code Article	Titre	Auteur
2-87691-683-5	65 3364 0	Cuisine pour les Nuls (La)	B. Miller, A. Le Courtois
2-87691-687-8	65 3367 3	Feng Shui pour les Nuls (Le)	D. Kennedy
2-87691-702-5	65 3428 3	Bricolage pour les Nuls (Le)	G. Hamilton
2-87691-705-X	65 3431 7	Tricot pour les Nuls (Le)	P. Allen
2-87691-769-6	65 3582 7	Sagesse et Spiritualité	S. Janis
2-87691-748-3	65 3534 8	Cuisine Minceur pour les Nuls (La)	L. Fischer, C. Bach
2-87691-752-1	65 3527 2	Yoga pour les Nuls (Le)	G. Feuerstein
2-87691-767-X	65 3580 1	Méthode Pilates pour les Nuls (La)	H. Herman
2-87691-768-8	65 3581 9	Chat pour les Nuls (Un)	G. Spadafori
2-87691-801-3	65 3682 5	Chien pour les Nuls (Un)	G. Spadafori
2-87691-824-2	65 3728 6	Echecs pour les Nuls (Les)	J. Eade
2-87691-823-4	65 3727 8	Guitare pour les Nuls (La)	M. Phillips, J. Chappell
2-87691-800-5	65 3681 7	Bible pour les Nuls (La)	E. Denimal
2-87691-868-4	65 3853 2	S'arrêter de fumer pour les Nuls	Dr Brizer, Pr Dautzenberg
2-87691-802-1	65 3684 1	Psychologie pour les Nuls (La)	Dr A. Cash
2-87691-869-2	65 3854 0	Diabète pour les Nuls (Le)	Dr A. Rubin, Dr M. André
2-87691-897-8	65 3870 6	Bien s'alimenter pour les Nuls	C. A. Rinzler, C. Bach
2-87691-893-5	65 3866 4	Guérir l'anxiété pour les Nuls	Dr Ch. Eliott, Dr M. André
2-87691-915-X	65 3876 3	Grossesse pour les Nuls (La)	Dr J.Stone
2-87691-943-5	65 3887 0	Vin pour les Nuls (Le)	Ed. Mcarthy, M. Ewing

Disponibles dans la collection Pour les Nuls

Pour être informé en permanence sur notre catalogue et les dernières nouveautés publiées dans cette collection, consultez notre site Internet à www.efirst.com

Pour les Nuls **Pratique**

ISBN	Code Article	Titre	Auteur
2-87691-941-9	65 3885 4	Histoire de France pour les Nuls (L')	J.-J. Julaud
2-87691-984-2	65 0953 3	Généalogie pour les Nuls (La)	F. Christian
2-87691-983-4	65 0952 5	Guitare électrique pour les Nuls (La)	J. Chappell
2-87691-973-7	65 0943 4	Anglais pour les Nuls (L')	G. Brenner
2-87691-974-5	65 0944 2	Espagnol pour les Nuls (L')	S. Wald
2-75400-025-9	65 4151 0	Mythologie pour les Nuls (La)	Ch. et A. Blackwell
2-75400-037-2	65 4161 9	Léonard de Vinci pour les Nuls	J. Teisch, T. Barr
2-75400-062-3	65 4172 6	Bouddhisme pour les Nuls (Le)	J. Landaw, S. Bodian
2-75400-060-7	65 4170 0	Massages pour les Nuls (Les)	S. Capellini, M. Van Welden
2-75400-059-3	65 4169 2	Voile pour les Nuls (La)	J.-J. et Peter Isler
2-75400-062-3	65 4172 6	Bouddhisme pour les Nuls (Le)	J. Landaw, S. Bodian
2-75400-061-5	65 4171 8	Littérature pour les Nuls (La)	J.-J. Julaud
2-75400-078-X	65 4188 2	Golf pour les Nuls (Le)	G. McCord
2-75400-092-5	65 4236 9	Immobilier pour les Nuls (L')	L. Boccarna, C. Sabbah
2-75400-093-3	65 4237 7	Maths pour les Nuls (Les)	J.-L. Boursin
2-87691-110-7	65 4254 2	Histoire de France illustrée (L')	J.-J Julaud
2-75400-102-6	65 4246 8	Piano pour les Nuls (Le)	B. Neely, M. Rozenbaum
2-75400-118-2	65 4259 1	Claviers et synthétiseurs	C. Martin de Montaigu
2-75400-124-7	65 4265 8	Guitare pour les Nuls (La)	M. Philipps, J. Chappell

Disponibles dans la collection Pour les Nuls

Pour être informé en permanence sur notre catalogue et les dernières nouveautés publiées dans cette collection, consultez notre site Internet à www.efirst.com

Pour les Nuls **Pratique**

ISBN	Code Article	Titre	Auteur
2-75400-123-9	65 4264 1	Poker pour les Nuls (Le)	R. D. Harroch, L. Krieger, F. Montmirel
2-75400-152-2	65 119 0	Eduquer son chien pour les Nuls	J. et W. Volahrd
2-75400-137-9	65 4275 7	Tai Chi pour les Nuls (Le)	T. Iknoian
2-87691-998-2	65 0960 8	Philosophie pour les Nuls (La)	C. Godin
2-75400-151-4	65 1118 2	Musique classique (La)	D. Pogue, C. Delamarche
2-75400-150-6	65 1117 4	Franc-Maçonnerie (La)	C. Hodapp, P. Benhamou

Disponibles dans la collection Pour les Nuls

Pour être informé en permanence sur notre catalogue et les dernières nouveautés publiées dans cette collection, consultez notre site Internet à www.efirst.com

Pour les Nuls **Poche**

ISBN	Code Article	Titre	Auteur
2-87691-873-0	65 3862 3	Management (Le)	Bob Nelson
2-87691-872-2	65 3861 5	Cuisine (La) – Poche pour les Nuls	B.Miller, A. Le Courtois
2-87691-871-4	65 3860 7	Feng Shui (Le)	D. Kennedy
2-87691-870-6	65 3859 9	Maigrir – Poche pour les Nuls	J. Kirby
2-87691-923-0	65 3881 3	Anglais correct (L')	C. Raimond
2-87691-924-9	65 3882 1	Français correct (Le)	J.-J. Julaud
2-87691-950-8	65 3894 6	Vente (La) – Poche pour les Nuls	T. Hopkins
2-87691-949-4 Lawler	65 3893 8	Bureau Feng Shui (Un)	H. Ziegler, J.
2-87691-956-7	65 0940 0	Sexe (Le) – Poche pour les Nuls	Dr Ruth
2-75400-001-1	65 0963 2	CV (Le) – Poche pour les Nuls	J.-L. Kennedy, A. Dumesnil
2-75400-000-3	65 0962 4	Zen ! la méditation	S. Bodian
2-87691-999-0	65 0961 6	Astrologie (L')	R. Orion
2-75400-015-1	65 0975 6	Jardinage (Le)	M. Mac Caskey
2-75400-014-3 Lawler	65 0974 9	Jardin Feng Shui (Le)	M. Ziegler et J.
2-75400-064-X	65 4174 2	Astronomie (L')	S. Maran
2-75400-094-1	65 4238 5	Business Plans	P. Tifany
2-75400-086-0 A. Dumesnil	65 4230 2	Entretiens de recrutement (Les)	J.-L. Kennedy,
2-75400-082-8 A. Dumesnil	65 4189 0	Lettres d'accompagnement (Les)	J.-L. Kennedy,
2-75400-165-4	65 1131 5	Su Doku tome 1	A. Heron, E. James
2-75400-167-0	65 1113 3	Su Doku tome 2	A. Heron, E. James

Disponibles dans la collection Pour les Nuls

Pour être informé en permanence sur notre catalogue et
les dernières nouveautés publiées dans cette collection,
consultez notre site Internet à www.efirst.com

Pour les Nuls **Poche**

ISBN	Code Article	Titre	Auteur
2-75400-213-8	65 1119 4	Su Doku tome 3	A. Heron, E. James
2-75400-180-8	65 1145 5	Histoire de France Tome 1 (L')	J.-J. Julaud
2-75400-181-6	65 1146 3	Histoire de France Tome 2 (L')	J.-J. Julaud